DOES DEBYG IDDO FE

NICK FAWCETT
Addasiad Cymraeg
gan Olaf Davies

Cyhoeddiadau'r
Gair

Cyflwynedig i:
Helen, Esyllt, Hedd a Manon Mai
am fod
"wrth fy nghefn ym mhob annibyniaeth barn"

Testun gwreiddiol: Nick Fawcett
Addasiad Cymraeg gan Olaf Davies
Golygydd Testun: Meirion Lloyd Davies
Golygydd Cyffredinol: Aled Davies
Cyhoeddwyd yn wreiddiol gan Kevin Mayhew Ltd yn 2000.

ISBN 1 85994 254 7
Argraffwyd ym Mhrydain

Cyhoeddwyd gan:
Cyhoeddiadau'r Gair, Cyngor Ysgolion Sul Cymru,
Ysgol Addysg, PCB, Safle'r Normal,
Bangor, Gwynedd, LL57 2PX.

Cynnwys

Cyflwyniad

Pwy oedd Iesu? Beth oedd pwrpas ei ddyfodiad i'r byd? I ba raddau y trawsnewidiwyd bywydau ei ddilynwyr? Beth mae Iesu yn ei olygu i ni heddiw? Dyna'r cwestiynau sy'n gefndir i'r gyfrol hon. 'Does dim amheuaeth fod y bobl a ddaeth wyneb yn wyneb â Iesu wedi gofyn cwestiynau digon tebyg yn eu cyfnod hwy. Dychmygwch sut brofiad fyddai cael bod yn un o'r bugeiliaid wrth y preseb, neu un o'r doethion yn cyrraedd i ben eu taith ym Methlehem. Sut brofiad fyddai bod yn un o'r disgyblion yn rhannu'r Swper Olaf, neu un o'r gwragedd yn sefyll yn ymyl y groes; un o'r bobl yr ymddangosodd Iesu iddynt wedi ei farwolaeth, neu yn un a brofodd rym yr Ysbryd ar waith yn nyddiau cynnar yr Eglwys Gristnogol. Sut fyddech chi wedi ymdopi a'ch profiad? I ba raddau fyddai'r profiad wedi llywio eich dealltwriaeth a'ch adnabyddiaeth o Iesu? Ac yn bwysicach o lawer i ba raddau fyddai hyn i gyd wedi newid eich bywyd?

Diben y myfyrdodau hyn yw ceisio mynd dan groen profiadau'r sawl a fu'n dystion i ryfeddod Person Iesu. Y mae pob myfyrdod yn ceisio rhoi ein hunain yn 'sgidiau'r unigolion a ddaeth o dan ddylanwad Iesu – ei rhieni, ei ddisgyblion, ei gyfeillion, ei elynion; y rhai a iachawyd ganddo, heriwyd ganddo, cynhyrfwyd ganddo neu a ysbrydolwyd ganddo. Edrych yn ôl y mae cymeriadau'r gyfrol hon gan geisio gwneud synnwyr o'r hyn a ddigwyddodd iddynt. Y cwestiwn gwaelodol bob amser yw: Beth mae Iesu yn ei olygu i mi?

Er bod dychymyg yn anorfod wrth ddehongli'r profiadau, y mae pob myfyrdod wedi ei seilio ar adran o'r Ysgrythur ac ni ddylid gwahanu'r naill oddi wrth y llall.

Profiad yr awdur o Iesu yw'r myfyrdodau hyn. Mae'n bosibl y byddwch chi'n cytuno â'r hyn sy'n gynwysedig ynddynt, ac y mae'n bosibl y byddwch yn anghytuno'n ffyrnig. Hwyrach y cewch oleuni newydd ar adran arbennig o'r Ysgrythur, ond y mae'n bosibl y byddwch yn teimlo fod yr awdur wedi camddeall y sefyllfa yn llwyr. Y gobaith yw y bydd rhywbeth bach yn y gyfrol hon yn eich sbarduno i ofyn beth mae Iesu yn ei olygu i chi ac i'n byd heddiw. Os llwydda yn hynny o beth fe fydd wedi cyflawni ei bwrpas.

YR ADFENT

1.

'FELLY YR YSGRIFENNWYD'

Mathew

Darllen: Mathew 2:1-6

Wedi i Iesu gael ei eni ym Methlehem Jwdea yn nyddiau'r Brenin Herod, daeth sêr-ddewiniaid o'r dwyrain i Jerwsalem a holi, "Ble mae'r hwn a anwyd i fod yn frenin yr Iddewon? Oherwydd gwelsom ei seren ef ar ei chyfodiad, a daethom i'w addoli." A phan glywodd y Brenin Herod hyn, cythruddwyd ef, a Jerwsalem i gyd gydag ef. Galwodd ynghyd yr holl brif offeiriaid ac ysgrifenyddion y bobl, a holi ganddynt ble yr oedd y Meseia i gael ei eni. Eu hateb oedd, "Ym Methlehem Jwdea, oherwydd felly yr ysgrifennwyd gan y proffwyd:

> 'A thithau Bethlehem yng ngwlad Jwda,
> nid y lleiaf wyt ti o lawer ymysg tywysogion Jwda,
> canys ohonot ti y daw allan arweinydd
> a fydd yn fugail ar fy mhobl Israel.'"

Myfyrdod

'Felly yr ysgrifennwyd.'
Clywais y geiriau ganwaith.
O enau offeiriad, athro a Pharisead -
dro ar ôl tro, yr un hen gân:
'Felly yr ysgrifennwyd.'
Ac y mae'n wir wrth gwrs.
Y mae yno mewn du a gwyn i bawb ei weld.
Gair Duw i'w bobl,
geiriau cysegredig y gyfraith,
yn tanlinellu ei orchmynion.
Hanes ei bobl,
doethineb yr Athro,
barddoniaeth y salmau,
gweledigaethau'r proffwydi,
a llawer iawn mwy.

Gair Duw i ni!
Ond, er ei fod yno,
ni chyffyrddodd â'm calon mewn gwirionedd erioed,
a'r galon sy'n cyfrif yn y pen draw.
Do, derbyniais y gair,
ond ni lefarodd y geiriau fel yr oeddwn wedi gobeithio.
Ond erbyn hyn, newidiodd y cyfan
mewn modd na allwn fod wedi ei ddychmygu.
'Nawr dim ond i mi feddwl am Iesu
rwy'n cael fy hunan yn dweud,
'Felly yr ysgrifennwyd!'
Pam?
Wel gwrandewch ar hyn.
'A thithau Bethlehem yng ngwlad Jwda,
nid y lleiaf wyt ti o lawer ymysg tywysogion Jwda,
canys ohonot ti y daw allan arweinydd
a fydd yn fugail ar fy mhobl Israel.'
'Wele bydd y wyryf yn beichiogi, ac yn esgor ar fab,
a gelwir ei enw ef Immanuel.'

'Y bobl oedd yn rhodio mewn tywyllwch
a welodd oleuni mawr;
y rhai a fu'n byw mewn gwlad o gaddug dudew
a gafodd lewyrch golau.'
Canys bachgen a aned i ni,
mab a roed i ni,
a bydd yr awdurdod ar ei ysgwydd.
Fe'i gelwir
Cynghorwr rhyfeddol
cawr o ryfelwr
Tad Bythol,
Tywysog Heddychlon.'
A oes rhaid dweud mwy?
Na, dydw i ddim yn meddwl.
Y mae ei gysgod dros y cyfan.
Cyflawnwyd y proffwydoliaethau mewn ffordd cwbl annisgwyl,
daeth y cyfan yn fyw yn Iesu Grist!
Ac yn awr pan ddarllenaf yr Ysgrythurau

nid geiriau ar dudalen a welaf;
gwelaf y Gair a ddaeth yn gnawd,
yr UN sy'n gwneud synnwyr o'r cyfan,
Duw gyda ni -
'Felly yr ysgrifennwyd!'

Gweddi

Moliannwn di O! Dduw
am i ti gyflawni dy bwrpas
yn nyfodiad Iesu.
Diolchwn mai nid geiriau gwag yw dy eiriau di,
ond addewidion y gallwn ddibynnu arnynt.
Dysg i ni felly ddarllen yr Ysgrythurau fel y gwnaeth Mathew,
clywed dy air drwy Iesu Grist
ac ymddiried yn yr addewid am y bywyd newydd
sydd yn eiddo i ni ynddo ef.

2.

DIM BYTH!

Sachareias - Tad Ioan Fedyddiwr

Darllen: Luc 1:5-7
Yn nyddiau Herod brenin Jwdea yr oedd offeiriad o adran Abia, o'r enw Sachareias, a chanddo wraig o blith merched Aaron; ei henw hi oedd Elisabeth. Yr oeddent ill dau yn gyfiawn gerbron Duw, yn ymddwyn yn ddi-fai yn ôl holl orchmynion ac ordeiniadau'r Arglwydd. Nid oedd ganddynt blant, oherwydd yr oedd Elisabeth yn ddiffrwyth, ac yr oeddent ill dau wedi cyrraedd oedran mawr.

Myfyrdod

Dim byth, dim gobaith bellach,
dim ar ôl yr holl flynyddoedd.
Bu cymaint o siomedigaethau, cymaint o godi gobeithion,
rhoesom y ffidil yn y to ers talwm.
Y mae'r ddau ohonom wedi gwirioni gyda phlant;
fe fyddem wedi rhoi'r byd am gael gweld ein baban yn ei grud.
Roedd bai arnom am demtio ffawd -
gwyddom erbyn hyn mai ffolineb oedd y cwbl,
ond ar y pryd nid oeddem yn rhagweld unrhyw anhawster,
wedi'r cyfan beth oedd o'i le mewn cynllunio ar gyfer y dyfodol:
dau ohonom dros ein pen a'n clustiau mewn cariad
a chymaint o'n blaenau,
am a wyddem ni.
Byddai Elisabeth yn crio,
o weld ei gobeithion yn chwalu dro ar ôl tro.
Ac er i mi geisio ei chysuro,
a'i sicrhau y byddai pethau'n wahanol y tro nesaf,
roedd fy nghalon innau'n torri llawn cymaint â hithau
Ond yna'n sydyn dyma ddechrau beio ei hun
a chredu fod Duw yn ei chosbi am bechodau'r gorffennol.
Gwyddwn ei bod hi'n cyfeiliorni ond yr oedd yn anodd ei darbwyllo.

Ac yna, yn y deml rhyw ddiwrnod, dyma freuddwyd neu weledigaeth, -
yn sydyn dyma ddyn yn ymddangos
a'm hysbysu ein bod yn disgwyl plentyn
a fyddai'n "fawr gerbron yr Arglwydd."
'Dim byth!' meddwn innau, ac am dric sâl
Ond y peth nesaf a gofiaf yw'r golau yn llygaid Elisabeth
wrth gyhoeddi'r newydd ei bod yn disgwyl plentyn!
"Rhyfeddod a bery'n ddiddarfod!"
Fedrwn i ddim dweud dim wrthi
oherwydd fe'm trawyd yn fud ers y freuddwyd honno.
Mae Ioan wedi cyrraedd bellach, ydi wir,
ac rwy'n teimlo rhyw ias bob tro yr edrychaf arno.
Ac rwy'n gwybod nawr na ddylwn anobeithio fyth,
oherwydd does dim yn amhosibl i Dduw.
Rwy'n sylweddoli i ni fod yn ffodus,
ac am bob un ohonom ni
y mae o leiaf un arall yn dal i deimlo'r boen,
dal i aros, yn dal i obeithio a gweddïo am wyrth.
Dydw i ddim yn gwybod pam fod Duw yn caniatáu hynny
dim mwy na deall pam iddo ddewis ein bendithio ni.
Y mae'n ddirgelwch i ni'n dau.
Ond credwch neu beidio mae tro hyd yn oed yng nghynffon y stori hon.
Er i'n baban ddwyn llawenydd i ni,
rhywsut neu gilydd yr oedd Elisabeth wedi cynhyrfu mwy
gan enedigaeth mab ei chyfnither.
Iesu oedd ei enw -
ac roedd hwnnw'n honni bod yn fwy o wyrth na Ioan,
er na allaf feddwl pam.
Dydy hi ddim damaid nes i ddeall y drefn na minnau,
ond pan fydd hi'n edrych ar Iesu rwy'n cael y syniad mai ynddo ef
yn hytrach na Ioan
y mae hi'n ceisio'r ateb;
ei gobaith yw y bydd ef yn gwneud synnwyr o'r cyfan.

Darllen: Luc 1: 57-66

Am Elisabeth, cyflawnwyd yr amser iddi esgor, a ganwyd iddi fab.
Clywodd ei chymdogion a'i pherthnasau am drugaredd fawr yr

Arglwydd iddi, ac yr oeddent yn llawenychu gyda hi. A'r wythfed dydd daethant i enwaedu ar y plentyn, ar yr oeddent am ei enwi ar ôl ei dad Sachareias. Ond atebodd ei fam, "Nage, Ioan yw ei enw i fod." Meddent wrthi, "Nid oes neb o'th deulu â'r enw hwnnw arno." Yna gofynasant drwy arwyddion i'w dad sut y dymunai ef ei enwi. Galwodd yntau am lechen fach ac ysgrifennodd, "Ioan yw ei enw." A synnodd pawb. Ar unwaith rhyddhawyd ei enau a'i dafod, a dechreuodd lefaru a bendithio Duw. Daeth ofn ar eu holl gymdogion, a bu trafod ar yr holl ddigwyddiadau hyn trwy fynydd-dir Jwdea i gyd; a chadwyd hwy ar gof gan bawb a glywodd amdanynt. "Beth gan hynny fydd y plentyn hwn?" meddent. Ac yn wir yr oedd llaw'r Arglwydd gydag ef.

Gweddi

O Dduw,
mae'n anodd deall dy ffyrdd a gwybod dy feddyliau.
Mae bywyd a'i drafferthion yn ein drysu
ac ni allwn wneud synnwyr o ofid a phoen y byd.
Eto yn Iesu gwyddom i ti rannu yn ein bywyd
rhannu'r drwg yn ogystal â'r da.
Profaist loes a hyd yn oed angau ei hun.
O! Dduw byw diolchwn am y sicrwydd
dy fod ti gyda ni beth bynnag a ddaw i'n rhan.

3

LLAMODD FY MABAN

Elisabeth - mam Ioan

Darllen: Luc 1:39-43

Ar hynny cychwynnodd Mair ac aeth ar frys i'r mynydd-dir, i un o drefi Jwda; aeth i dŷ Sachareias a chyfarch Elisabeth. Pan glywodd hi gyfarchiad Mair, llamodd y plentyn yn ei chroth a llanwyd Elisabeth â'r Ysbryd Glân a llefodd â llais uchel, "Bendigedig wyt ti ymhlith gwragedd, a bendigedig yw ffrwyth dy groth. Sut y daeth i'm rhan i fod mam fy Arglwydd yn dod ataf."

Myfyrdod

Llamodd fy maban o orfoledd!
Rydw i'n gwybod fod baban yn troi yn y groth o bryd i'w gilydd,
ond credwch fi yr oedd hyn yn wahanol,
Am un peth dyma'r tro cyntaf i mi ei deimlo,
naid wyllt wrth i Mair agosáu,
fel pe tai'n gwybod y byddai'r plentyn yr oedd hi
yn ei gario yn llywio holl droeon ei yrfa.
Mae hynny'n swnio'n afresymol, mi wn
a dydw i ddim yn un i ramantu.
Ond pan welais Mair yn dod,
gwyddwn fod rhywbeth arbennig wedi digwydd.
Gwyddwn ei bod yn feichiog
ond yr oedd rhywbeth arall hefyd,
yn ei llygaid
yn ei hedrychiad
yn ei cherddediad
yn union yr un fath â'm profiad innau
naw mis ynghynt.
Rhedais i'w chofleidio,
i rannu yn ei llawenydd.
Eto teimlwn ym mêr fy esgyrn fod rhywbeth arall.

Synhwyrais y byddai ei phlentyn hi yn wahanol,
nid yn unig i'm plentyn i ond i bob plentyn,
yr ateb i'n gweddïau
a gwireddwr ein gobeithion.
Ni welaf fai arnoch am gredu fy mod yn drysu,
mae'n bosibl fy mod wedi cynhyrfu a gorymateb.
Ond rwy'n dal i ddweud
beth bynnag ddywed pawb
llamodd fy mhlentyn yn fy nghroth
do, llamu o lawenydd!

Gweddi

Duw Cariad,
o'r cychwyn cyntaf
buost ar waith yn ein byd
yn paratoi ffordd dy deyrnas.
Molwn di am dystiolaeth y proffwydi
wrth gyhoeddi dyfodiad y Meseia.
Molwn di am weinidogaeth Ioan Fedyddiwr,
llais yn yr anialwch
yn galw am edifeirwch,
yn paratoi ffordd yr Arglwydd.
Molwn di am y rhai a wnaeth yr Efengyl yn hysbys i ni,
a rhoi cyfle i ni ymateb.
Helpa ni 'nawr i baratoi ar gyfer y Nadolig,
nid yn unig yn faterol ond yn ysbrydol,
fel y gallwn ddathlu genedigaeth Crist
a'i dderbyn i'n bywydau.

4.

PAM FI ?

Mair, Mam Iesu

Darllen: Luc 1 26- 38

Yn y chweched mis anfonwyd yr angel Gabriel gan Dduw i dref yng Ngalilea o'r enw Nasareth, at wyryf oedd wedi ei dyweddïo i ŵr o'r enw Joseff, o dŷ Dafydd; Mair oedd enw'r wyryf. Aeth yr angel ati a dweud, "Henffych well, tydi, yr un y rhoddodd Duw ei ffafr iddi! Y mae'r Arglwydd gyda thi." Ond cythryblwyd hi drwyddi gan ei eiriau, a cheisiodd ddirnad pa fath gyfarchiad a allai hwn fod. Meddai'r angel wrthi, " Paid ag ofni Mair, oherwydd cefaist ffafr gyda Duw; ac wele, byddi'n beichiogi yn dy groth ac yn esgor ar fab, a gelwi ef Iesu. Bydd hwn yn fawr, a Mab y Goruchaf y gelwir ef; rhydd yr Arglwydd Dduw iddo orsedd Dafydd ei dad, ac fe deyrnasa ar dŷ Jacob am byth, ac ar ei deyrnas ni bydd diwedd." meddai Mair wrth yr angel, "Sut y digwydd hyn, gan nad wyf yn cael cyfathrach â gŵr?" Atebodd yr angel hi, "Daw'r Ysbryd Glân arnat, a bydd nerth y Goruchaf yn dy gysgodi; am hynny, gelwir y plentyn a genhedlir yn sanctaidd, Mab Duw. Ac wele, y mae Elisabeth dy berthynas hithau wedi beichiogi ar fab yn ei henaint, a dyma'r chweched mis i'r hon a elwir yn ddiffrwyth; oherwydd ni bydd dim yn amhosibl gyda Duw." Dywedodd Mair, "Dyma lawforwyn yr Arglwydd; bydded i mi yn ôl dy air di." Ac aeth yr angel i ffwrdd oddi wrthi.

Myfyrdod

Pam fi?
Dyna'r cwestiwn oedd yn fy mlino.
Pam fi?
Roedd yn amlwg beth fyddai testun y sgwrs .
Rwyf yn ei gweld yn awr,
yn syllu'n amheus,
yn sibrwd yn dawel,
A beth am Joseff?

Wel, fe gollodd ei limpin yn llwyr
a pwy all ei feio?
Pe baem ni'n briod byddai pethau'n wahanol,
ond wedi dyweddïo - dyna i chi sgandal.
Cefais fy mrifo, o do, yn fwy na allech ei ddychmygu;
mae'n anodd credu fod pobl yn medru bod mor greulon.
Doeddwn i ddim eisiau babi,
dyna'r peth olaf ar fy meddwl,
roeddwn i'n dal yn ifanc
rhy ifanc i'r math hwnnw o gyfrifoldeb.
Gallwn fod wedi gwneud heb y nosweithiau digwsg,
y golchi diddiwedd
a'r gofynion di-bendraw.
A chredwch chi fyth?
Aeth pethau o ddrwg i waeth.
Nid anghofiaf y diwrnod hwnnw y diflannodd
wrth ddychwelyd o Jerwsalem.
Sôn am banig!
A phan ddaethom o hyd iddo,
wyddoch chi beth ddywedodd ef?
"Fe ddylech chi wybod lle 'roeddwn" meddai
"Lle arall ond yn nhŷ fy Nhad?"
Wel dyna i chi grwt haerllug"
Ac yna pan oedd bywyd yn dechrau dod i drefn,
dyma fe'n ei throi hi am yr anialwch i gael ei fedyddio.
Peidiwch â'm camddeall, rhaid i bawb agor ei lwybr ei hun,
ond yr oedd gennyf deimlad ym mêr fy esgyrn
fod perygl ar y gorwel.
Ac felly y bu.
Mynnai ddweud y pethau anghywir
wrth y bobl anghywir
yn y mannau anghywir.
Ni allai hyn ond arwain i un man.
Torrodd fy nghalon wrth ei wylio,
fy mhlentyn, wedi torri ac yn gwaedu,
yn ymdrechu gyda'r hen groes honno
yn hongian mewn poen dirdynnol.
Ond yn sydyn, edrychodd i lawr,

nid ar y gweddill
ond arnaf i.
Roedd cymaint o gariad yn ei lygaid,
cymaint o ofal,
cymaint o dynerwch!
Yn sydyn, gwelais lygaid Duw yn edrych arnaf
drwy lygaid fy mhlentyn i,
a gofynnais i mi fy hun,
yn union fel y gofynnais flynyddoedd ynghynt,
ond yn wahanol iawn y tro hwn:
Pam fi?
Pam fi?

Darllen: Ioan 19:25-27

".....yn ymyl croes Iesu yr oedd ei fam yn sefyll gyda'i chwaer, Mair gwraig Clopas, a Mair Magdalen. Pan welodd Iesu ei fam, felly, a'r disgybl yr oedd yn ei garu yn sefyll yn ei hymyl, meddai wrth ei fam, "Wraig, dyma dy fab di." Yna dywedodd wrth y disgybl, "Dyma dy fam di." Ac o'r awr honno, cymerodd y disgybl hi i mewn i'w gartref."

Gweddi

Arglwydd, weithiau ni allwn ond gofyn
'Pam?'
'Pam fi? Pam hyn? Pam popeth?'
Y mae cymaint na fedrwn ei ddeall,
cymaint yn ceisio tanseilio ein ffydd,
cymaint o gwestiynau heb eu hateb.
Teimlwn yn euog fod gennym y fath gwestiynau,
Ond gwyddom na allwn dy dwyllo di,
a sylweddolwn fod rhyw bethau na ddown i'w deall fyth.
Helpa ni, felly, i ymddiried ynot ti,
ti yr hwn sydd gyda ni bob amser.

5.

NI WYDDWN BETH I'W FEDDWL

Joseff

Darllen: Mathew 1: 18-19

Fel hyn y bu genedigaeth Iesu Grist. Pan oedd Mair ei fam wedi ei dyweddïo i Joseff, cyn iddynt briodi fe gafwyd ei bod hi'n feichiog o'r Ysbryd Glân. A chan ei fod yn ddyn cyfiawn, ond heb ddymuno ei chywilyddio'n gyhoeddus, penderfynodd Joseff, ei gŵr ei gollwng ymaith yn ddirgel.

Myfyrdod

Ni wyddwn beth i'w feddwl
y tro cyntaf y clywais -
fy Mair annwyl a diniwed yn feichiog!
Dylaswn fod yn grac,
a dweud y gwir yr oeddwn yn grac iawn
yn ddiweddarach.
Ond nid dyna fy adwaith cyntaf;
sioc ydoedd, neu yn hytrach
anghrediniaeth.
Allwn i ddim ei dychmygu yn fy nhwyllo,
na byth, nid Mair.
Merched eraill efallai,
ond nid oedd hi'n debyg iddynt hwy;
Fe fyddwn wedi ymddiried fy mywyd iddi pe bai raid.
Felly pan ddechreuodd fynd ymlaen ac ymlaen am ryw angel,
a'i bod wedi ei beichiogi drwy'r Ysbryd Glân,
wyddoch chi beth?
Gwrandewais!
Do, yn wir i chi fe wrandewais!
Hwyrach fod hynny'n swnio'n wirion i chi,
ond ni allwn gredu ei bod yn dychmygu'r cwbl,
ac yn creu esgusodion er mwyn ei harbed ei hun.

Gallai fod wedi chwilio am esgus gwell,
wedi'r cyfan, pryd gwelsoch chi angel ddiwethaf?
Yn hollol.
Ond yna gyda threigl amser
daeth yr amheuon,
cwestiynau heb eu hateb,
lleisiau yn gwrthod distewi.
Trodd yr amheuaeth
yn chwerwder
a diflastod.
Fe fyddwn wedi torri'r dyweddïad,
er cymaint fy hoffter ohoni,
doedd dim un ffordd y gallai gŵr o'm safle i
ystyried ei phriodi,
dim o gwbl os oeddwn i ddiogelu fy hunan-barch.
Yn ôl y Gyfraith yr oedd eisoes
wedi ei halogi.
Felly, dyna fe.
Dim rhagor!
Rhaid oedd aros am yr amser priodol a chwilio am eiriau priodol
i dorri'r newyddion iddi.
Ond yna cefais y freuddwyd neu'r weledigaeth ryfeddaf.
Fi oedd yn gweld angylion nawr, nid Mair,
fi oedd yn clywed llais Duw nawr;
ac yn clywed yr un neges,
yr un stori -
roedd y plentyn hwn
yn rhodd gan Dduw i'r byd,
un a fyddai o'r diwedd yn gwaredu ei bobl.
A oeddwn i'n credu?
Wel, mae'n siwr fy mod i mewn ffordd.
Fe'i priodais wedi'r cyfan,
ar waetha'r cleber creulon.
Efallai fy mod eisiau ei phriodi beth bynnag.
Efallai fy mod yn hoffi'r syniad o fod yn dad.
Efallai fy mod i eisiau credu'r stori
er mor anhygoel ydoedd.
A dweud y gwir

mae'n debyg bod nifer o resymau am fy mhenderfyniad;
eto, hwyrach mai drwy bethau felly,
meddyliau a theimladau beunyddiol,
llawn cymaint â breuddwydion a gweledigaethau,
y mae Duw yn dewis llefaru wrthym
Y rheini yn fwy na dim efallai.

Gweddi

O! Dduw,
y mae adegau yn ein bywydau,
llawer ohonynt,
pan nad atebir ein gweddïau.
Y mae adegau,
er ein holl ymdrechion
pan na allwn glywed dy lais
na dirnad dy ewyllys.
Eto yr wyt ti'n ymateb,
pe bai gennym y clustiau i wrando a llygaid i weld -
drwy'r bobl o'n cwmpas,
drwy ddigwyddiadau bywyd,
drwy lais cydwybod.
Mewn amrywiol ffyrdd
yr wyt yn sibrwd yn ein clustiau,
yn estyn dy wahoddiad i ni
rannu yng ngwaith dy Deyrnas
ac yng nghyflawniad dy bwrpas.
O Dduw Byw, helpa ni i wrando -
helpa ni i glywed.

6.

DIM OND UN GAIR!

Ioan

Darllen: Ioan 1: 1-5, 9

Yn y dechreuad yr oedd y Gair; yr oedd y Gair gyda Duw, a Duw oedd y Gair. Yr oedd ef yn y dechreuad gyda Duw. Daeth pob peth i fod trwyddo ef; hebddo ef ni ddaeth un dim i fod. Yr hyn a ddaeth i fod, ynddo ef bywyd ydoedd, a'r bywyd goleuni dynion ydoedd. Y mae'r goleuni yn llewyrchu yn y tywyllwch, ac nid yw'r tywyllwch wedi ei drechu ef . . . . . Yr oedd y gwir oleuni, sy'n goleuo pob dyn, eisoes yn dod i'r byd.

Myfyrdod

Dim ond un gair sydd,
un gair i ddisgrifio rhyfedod y cyfan,
a'r gair hwnnw yw 'Iesu.'
Credwch fi, rwy'n gwybod,
treuliais oes gyfan yn ceisio'r geiriau priodol.
Ers gadael y cyfan i'w ddilyn flynyddoedd yn ôl,
ers eistedd gyda'r disgyblion yn yr oruwch ystafell,
ers mentro allan i ddysgu a phregethu yn enw'r Meistr
bûm yn chwilio am y ffordd orau i ddisgrifio fy mhrofiad,
a defnyddiais eiriau,
pentwr ohonynt,
mwy nag a fedraf eu cyfrif . . . .
Wrth bregethu i'r tyrfaoedd,
wrth feithrin y credinwyr newydd,
wrth weddïo dros y cleifion,
wrth arwain yr addoliad,
wrth hel atgofion,
wrth dystio i ddieithriaid,
geiriau, geiriau, geiriau.
Ond nid oedd geiriau yn ddigonol

i fynegi yr hyn oedd yn fy nghalon.
Yr wyf wedi ysgrifennu cymaint,
tudalen ar ôl tudalen,
fy ngeiriau i fy hun yn ogystal â'i eiriau ef,
eu gweu gorau gallwn
yn frodwaith o'i fywyd.
Dywedais am ddechrau a diwedd
ei arwyddion,
ei ddysgeidiaeth,
ei weithredoedd.
Soniais am y cymeriadau di-nôd,
na soniwyd amdanynt gan Mathew Marc a Luc.
Nodais y munudau personol
rhyngof fi a Iesu
wrth i'r diwedd agosáu.

Ceisiais fy ngorau glas
gyfleu yr hyn oedd Iesu i mi ac i eraill,
ond nid oes gofod i gynnwys y geiriau.
"Rhy fyr fydd tragwyddoldeb llawn!"
Dywedaf eto mai dim ond un gair
sydd i fynegi'r cyfan,
oherwydd Iesu oedd yr ymgorfforiad
o air Duw ei hun.
Y mae'r Gyfraith a'r Proffwydi yn dweud amdano.
Y mae doethineb yr athrawon yn dweud amdano.
Y mae gogoniant y bydysawd yn dweud amdano.
Ac os ydych yn dymuno clywed,
yn dymuno gwrando,
yn dymuno deall ystyr bywyd,
yna derbyniwch fy ngair,
yr unig ffordd yw ei adnabod drosoch eich hunan,
y gair a ddaeth yn gnawd!

Darllen: Ioan: 14, 18

A daeth y Gair yn gnawd a phreswylio yn ein plith, yn llawn gras a gwirionedd; gwelsom ei ogoniant ef, ei ogoniant fel unig Fab yn dod oddi wrth y Tad . . . . Nid oes neb wedi gweld Duw erioed; yr unig UN, ac yntau'n Dduw, yr hwn sydd ym mynwes y Tad, hwnnw a'i gwnaeth yn hysbys.

Gweddi

O! Dduw grasol,
diolchwn am ddawn geiriau i fynegi'n profiadau.
Diolch am eiriau'r Ysgrythur
sy'n llefaru mor rymus am dy gariad.
Ond uwchlaw pob dim
diolchwn am i ti roi dy eiriau ar waith,
a'u gwneud yn fyw ym mherson Iesu.
Cynorthwya ni yn ein tro,
nid yn unig i ddefnyddio geiriau
ond i weithredu arnynt,
nid yn unig i siarad am ffydd
ond i fyw ein ffydd yn feunyddiol.

Y NADOLIG

7

TEIMLAIS DROSTYNT, DO YN WIR

Y Gwesteiwr

Darllen: Luc 2:1-7

Yn y dyddiau hynny aeth gorchymyn allan oddi wrth Cesar Awgwstws i gofrestru'r holl Ymerodraeth. Digwyddodd y cofrestru cyntaf hwn pan oedd Cyrenius yn llywodraethu ar Syria. Aeth pawb felly i'w gofrestru, pob un i'w dref ei hun. Oherwydd ei fod yn perthyn i dŷ a theulu Dafydd, aeth Joseff i fyny o dref Nasareth yng Ngalilea i Jwdea, i dref Dafydd a elwir Bethlehem, i ymgofrestru ynghyd â Mair ei ddyweddi; ac yr oedd hi'n feichiog. Pan oeddent yno, cyflawnwyd yr amser iddi esgor, ac esgorodd ar ei mab cyntaf-anedig; rhwymodd ef mewn dillad baban a'i osod mewn preseb, am nad oedd lle iddynt yn y gwesty.

Myfyrdod

Teimlais drostynt, do yn wir i chi.
Roeddent ar ddod i ben eu tennyn.
Poeni am y ferch oeddwn i yn fwy na dim,
a hithau bron ar ddisgyn.
Cofiwch, does dim rhyfedd
o ystyried ei chyflwr -
nid fy mod i'n arbenigwr ar y maes hwnnw.
Ond yr oedd mewn poen amlwg iawn.
Roedd ef, druan, bron â mynd o'i gof,
bron a drysu,
braidd yn haerllug yn ei rwystredigaeth,
ond ni welais ddim bai arno.
Mae'n siwr mai felly y buaswn innau o dan yr un amgylchiadau.
Eto, beth allwn i ei wneud?
Doedd dim ystafell i'w sbario,
roedd y tŷ yn gwegian fel yr oedd,
a doedd dim gobaith stwffio neb arall i mewn.
Ac ni allwn daflu neb allan er mwyn gwneud lle.

Dewch nawr, fe wyddoch y byddai hynny wedi achosi anrhefn llwyr.
Felly, cynigais y stabl iddynt.
Doedd hwnnw ddim yn llawer o beth,
ond o leiaf roedd yn do uwch eu pennau.
Iawn, rwy'n dal i deimlo euogrwydd,
dylaswn fod wedi gwrando ar fy ngwraig
a rhoi ein hystafell ni iddynt.
Ond a bod yn onest roeddem ill dau wedi blino'n lân.
Roedd gennym westy i'w drefnu
a doedd dim amser i oedi.
Roeddem yn cysgu ar ein traed.
Felly doedd dim dewis ganddynt, y stabl neu ddim.
Roeddent yn hynod ddiolchgar i mi am y gymwynas,
yn falch o rywle i roi pen i lawr.
Ond pan glywais sŵn babi'n crio,
roedd arnaf gywilydd.
Rhuthrodd y wraig a minnau allan
yn barod i helpu,
heb fod yn siwr beth i'w ddisgwyl,
ac wrth gwrs yn ofni'r gwaethaf.
Ond am syndod!
Nid oedd neb mewn panig.
I'r gwrthwyneb a dweud y gwir.
Roedd yr awyrgylch mor dangnefeddus,
yn llawen
ac yn gwbl fodlon eu byd.
Fe ddylech fod wedi gweld y ffordd
yr oeddent yn edrych ar y baban.
Rwyf wedi clywed am rieni yn addoli eu plant
ond roedd hyn yn anghredadwy.
A dim ond hanner y stori yw hyn,
oherwydd yn sydyn, yn y cysgodion,
sylwais ar gwmni o fugeiliaid -
Duw a ŵyr o ble y daethon nhw.
Credais i gychwyn eu bod yno i achosi cynnwrf,
ond na, edrych mewn rhyfeddod a wnaethant
ar y baban bach ym mreichiau ei fam.
Ac yna i ffwrdd â nhw,

llawenydd yn eu llygaid,
bywyd yn eu cerddediad.
Mae'n dawel yma erbyn hyn,
fel tase dim wedi digwydd.
Cyn belled ag y gwn i mae'r fam a'i phlentyn yn iach.
Gallech ddweud mai i mi yn rhannol y mae'r diolch am hynny,
o leiaf fe geisiais eu helpu pan nad oedd neb arall yn dangos diddordeb.
Eto, ni allaf ond teimlo y gallwn fod wedi gwneud mwy,
fy mod wedi gadael pawb i lawr rywsut,
ac os gadawyd rhywun ar drugaredd yr elfennau,
y fi oedd hwnnw.

Gweddi

Arglwydd Iesu Grist
daethost i'r byd
at dy bobl dy hun,
ac eto nid oeddent yn barod
i'th groesawu.
O'r cychwyn cyntaf un,
penderfynodd y mwyafrif gau'r drws yn dy erbyn,
a'r gweddill ond yn barod i estyn croeso claear.
Maddau ein bod ni'n debyg iddynt.
Helpa ni i wneud lle i ti,
nid unrhyw le
ond yng nghanol ein bywydau.

8

DIWRNOD CYFFREDIN ARALL

Y Bugeiliaid

Darllen: Luc 2:8-20

Yn yr un ardal yr oedd bugeiliaid allan yn y wlad yn gwarchod eu praidd liw nos. A safodd angel yr Arglwydd yn eu hymyl a disgleiriodd gogoniant yr Arglwydd o'u hamgylch; a daeth arswyd arnynt. Yna dywedodd yr angel wrthynt, "Peidiwch ag ofni, oherwydd wele, yr wyf yn cyhoeddi i chwi y newydd da am lawenydd mawr a ddaw i'r holl bobl; ganwyd i chwi heddiw yn nhref Dafydd waredwr, yr hwn yw'r Meseia, yr Arglwydd, a dyma'r arwydd i chwi; cewch hyd i'r un bach wedi ei rwymo mewn dillad baban ac yn gorwedd mewn preseb." Yn sydyn ymddangosodd gyda'r angel dyrfa o'r llu nefol yn moli Duw gan ddweud "Gogoniant yn y goruchaf i Dduw, ac ar y ddaear tangnefedd ymhlith dynion sydd wrth ei fodd"
Wedi i'r angylion fynd ymaith oddi wrthynt i'r nef, dechreuodd y bugeiliaid ddweud wrth ei gilydd, "Gadewch inni fynd i Fethlehem a gweld yr hyn sydd wedi digwydd, y peth yr hysbysodd yr Arglwydd ni amdano." Aethant ar frys, a chawsant hyd i Fair a Joseff, a'r baban yn gorwedd yn y preseb; ac wedi ei weld mynegasant yr hyn oedd wedi ei lefaru wrthynt am y plentyn hwn. Rhyfeddodd pawb a'u clywodd at y pethau a ddywedodd y bugeiliaid wrthynt; ond yr oedd Mair yn cadw'r holl bethau hyn yn ddiogel yn ei chalon ac yn myfyrio arnynt. Dychwelodd y bugeiliaid gan ogoneddu a moli Duw am yr holl bethau a glywsant ac a welsant, yn union fel y llefarwyd wrthynt.

Myfyrdod

Diwrnod cyffredin arall ydoedd,
dim byd arbennig,
dim byd gwahanol
dim ond diwrnod cyffredin.
Pobl gyffredin oeddem ninnau,
dyna sy'n peri mwy o benbleth;

dibwys,
di-ddylanwad,
bugeiliaid cyffredin yn gweithio yn y meysydd.
Er hynny, ni mae'n debyg oedd y cyntaf
i dderbyn y ffafr arbennig hon.
Y rhai cyntaf i wybod,
y rhai cyntaf i weld,
y rhai cyntaf i ddathlu,
y rhai cyntaf i ddweud!
Dydw i ddim yn siwr o hyd be' ddigwyddodd -
un funud yr oedd y nos yn toi o'n cwmpas,
a'r nesaf yr oedd yn olau ddydd;
un funud yn edrych ymlaen am fynd adref
a'r nesaf yn mynd ar frys i Fethlehem.
Does dim geiriau i fynegi'n teimladau,
ond gwyddem fod yn rhaid ymateb,
a gweld drosom ein hunain.
Nid oeddem yn disgwyl gweld dim cofiwch chi,.
Wel, nid yw rhywun yn disgwyl, nac ydi?
Nid yw'r Meseia yn cyrraedd bob dydd.
Yr oeddem ni wedi dychmygu erioed mai mewn gogoniant,
i sain utgyrn y deuai'r Gwaredwr.
Ond wyddoch chi beth?
Wedi cyrraedd,
cawsom y cyfan fel y dywedwyd wrthym,
yn eithriadol o arbennig,
ac eto'n syndod o gyffredin.
Nid Jerwsalem ond Bethlehem,
nid tywysog ar ei orsedd
ond baban mewn preseb.
Mae'n anodd credu, hyd yn oed heddiw,
fod Duw wedi dewis dod
mewn baban bychan bregus.
Ond gyda threigl y blynyddoedd -
gwelsom ei fywyd yn ogystal â'i eni,
ei farwolaeth yn ogystal â'i fywyd,
a bedd gwag yn ogystal â'i farwolaeth,
llawenydd ei ddilynwyr yn ogystal â'u dagrau -

do daethom i sylweddoli mai gwir oedd y cyfan..
Dewisodd Duw ddod atom ni,
ac atoch chwithau hefyd -
pobl gyffredin
yn y modd mwyaf cyffredin.
Dyna i chi anghyffredin!

Gweddi

Arglwydd Iesu Grist,
nid y pwysigion yng ngolwg y byd
oedd y cyntaf i glywed y Newyddion Da.
Nid y crachach crefyddol neu bobl o ddoniau arbennig,
ond bugeiliaid, - pobl gyffredin fel ninnau.
Dysg i ni, drwy'r stori hon,
pwy bynnag ydym,
pa mor ddinod bynnag y teimlwn,
dy fod ti yn rhoi gwerth arnom i gyd
ac yn dymuno inni dy adnabod drosom ein hunain.

9

DYMA DDIWRNOD!

Mair, Mam Iesu

Darllen: Luc 2:1-7

Yn y dyddiau hynny aeth gorchymyn allan oddi wrth Cesar Awgwstws i gofrestru'r holl Ymerodraeth. Digwyddodd y cofrestru cyntaf hwn pan oedd Cyrenius yn llywodraethu ar Syria. Aeth pawb felly i'w gofrestru, pob un i'w dref ei hun. Oherwydd ei fod yn perthyn i dŷ a theulu Dafydd, aeth Joseff i fyny o dref Nasareth yng Ngalilea i Jwdea, i dref Dafydd a elwir Bethlehem, i ymgofrestru ynghyd â Mair ei ddyweddi; ac yr oedd hi'n feichiog. Pan oeddent yno, cyflawnwyd yr amser iddi esgor, ac esgorodd ar ei mab cyntaf-anedig; rhwymodd ef mewn dillad baban a'i osod mewn preseb, am nad oedd lle iddynt yn y gwesty.

Myfyrdod

Dyma ddiwrnod!
Rwyf wedi blino'n lân,
ag eto rwyf yn y seithfed nef.
Ydi hynny'n swnio'n rhyfedd i chi?
Wel, gadewch i mi ddweud yr hanes, ac efallai y deallwch chi.
Ni allai pethau fod wedi dechrau'n waeth,
cyrraedd Bethlehem a chael fod pob gwesty'n llawn.
Suddodd fy nghalon.
Roeddwn wedi anobeithio dod o hyd i'r unlle,
ond yr oedd Joseff yn benderfynol.
"Y tro nesaf," meddai o hyd, "fe gei di weld."
Y tro nesaf wir!
Stabl, dyna ddiwedd y stori -
nid dyna'r math o le oedd gen i mewn golwg.
Fel arfer ni fyddwn yn poeni'n ormodol,
ond yr oeddwn ar fin esgor,
a'r poenau'n dwysau bob munud.
Roedd y poenau mor ddirdynol,

doedd dim gwahaniaeth gennyf
ym mhle y deuai'r daith i ben.
Y peth pwysicaf i mi oedd gorffwys.
Dyna'r rheswm inni dderbyn cynnig y gwesteiwr,
er mor anghynnes yr ymddangosai'r lle ar y pryd.
Gorweddais yno yng nghanol y gwartheg
a'r gwellt fel pinnau bach yn fy nghefn,
ond 'doedd hynny ddim yn fy mhoeni bellach.
Geni'r baban oedd yr unig beth ar fy meddwl.
Druan â Joseff, roedd ef bron â mynd o'i gof,
a doedd ganddo ddim syniad beth i'w wneud.
Ond diolch i'r drefn cymerodd rhyw ferch o'r gwesty drugaredd arnom,
ac roedd cael gweld ei hwyneb caredig drwy gaddug y boen yn gysur.
Er bod pob munud fel tragwyddoldeb,
ni fu'n rhaid aros yn hir.
Wedi'r gwewyr dyma'r sŵn hyfrytaf a glywais erioed,
fy mab, Iesu, yn llefain!
Er nad oeddwn am ei ollwng bu'n rhaid i mi ei lapio mewn cadachau
a'i roi i orwedd yn y preseb gerllaw.
Daeth cwsg yn hawdd wedi hynny,
tawelwch meddwl o'r diwedd.
Ond deffrais yn sydyn yn cofio geiriau'r hen broffwyd -
"A gelwir ef Immanuel
Duw gyda ni"
Tybed?
Duw wedi dod at ei bobl?
Y mae'r plentyn hwn yn bopeth i mi,
gallwn i ei addoli'n ddidrafferth.
Ond eraill? Tybed?
Amser yn unig a ddengys mae'n debyg.
Beth bynnag, does dim amser nawr i siarad, y mae angen cwsg arnaf.
Ond arhoswch, pwy sy'n curo ar y drws?
Bugeiliaid!
Am beth maen nhw'n chwilio yr amser hyn o'r nos?
Dydw i ddim yn gwybod.
Dyma ddiwrnod!
Y rhyfeddaf ohonynt i gyd!
Beth nesaf?

Gweddi

Hollalluog Dduw,
yr wyt ti y tu hwnt i'n dirnadaeth ni,
yn Dduw goruwch y duwiau,
yn deilwng o fawl ac anrhydedd.
Maddau i ni
am i ni golli'r ymdeimlad o ryfeddod ger dy fron.
Llefara wrthym, fel y lleferaist wrth Mair,
a helpa ni i sylweddoli o'r newydd
pwy wyt ti a'r hyn a wnaethost drwy Iesu.
Helpa ni i ogoneddu dy enw,
i ganu dy foliant
ac i gyhoeddi dy fawredd

10

GLYWSOCH CHI'R NEWYDD?

Un o drigolion Bethlehem

Darllen: Luc 2: 15-20

Wedi i'r angylion fynd ymaith oddi wrthynt i'r nef, dechreuodd y bugeiliaid ddweud wrth ei gilydd, "Gadewch inni fynd i Fethlehem a gweld yr hyn sydd wedi digwydd, y peth yr hysbysodd yr Arglwydd ni amdano." Aethant ar frys, a chawsant hyd i Fair a Joseff, a'r baban yn gorwedd yn y preseb; ac wedi ei weld mynegasant yr hyn oedd wedi ei lefaru wrthynt am y plentyn hwn. Rhyfeddodd pawb a'u clywodd at y pethau a ddywedodd y bugeiliaid wrthynt; ond yr oedd Mair yn cadw'r holl bethau hyn yn ddiogel yn ei chalon ac yn myfyrio arnynt. Dychwelodd y bugeiliaid gan ogoneddu a moli Duw am yr holl bethau a glywsant ac a welsant, yn union fel y llefarwyd wrthynt.

Myfyrdod

Glywsoch chi'r newydd?
Mae nhw'n dweud bod y Meseia wedi ei eni
yma ym Methlehem.
Yn wir i chi, dyna a ddywedwyd wrthyf,
Y Crist,
Y Gwaredwr
wedi dod o'r diwedd i'n ryddhau.
A ydw' i'n credu?
Wel, dydw i ddim yn siwr.
Rwy'n cyfaddef, mae'n anodd credu,
ond mae'r cyfaill y bûm yn siarad ag ef yn ddigon pendant.
Wedi bod yn siarad gyda bugail mae'n debyg,
rhyw ddyn oedd yn honni iddo weld y plentyn â'i lygaid ei hunan.
Mae'n bosibl wrth gwrs ei fod wedi gwneud camgymeriad,
ni allwch ddibynnu ar neb y dyddiau hyn.
A chredwch fi, dydw i ddim yn un i gredu popeth a glywaf.
Ond yr oedd fy nghyfaill,

yr un a fu'n siarad gyda'r bugail wedi ei gynhyrfu'n lân.
Fe fyddech yn taeru iddo fod yno ei hun,
yn y stabl, wrth y preseb.
Yr oedd yn gwbl argyhoeddedig, doedd dim amheuaeth ynglyn â'r peth.
Wrth wrando arno roeddwn innau'n teimlo rhyw awydd anesboniadwy
i ddweud wrth eraill
i rannu'r newydd da ymhlith y bobl o'm cwmpas.
Os oedd fy nghyfaill yn dweud y gwir,
roedd hi'n gyfrifoldeb arnaf i ddweud wrth eraill.
Roedd hon yn neges yr oedd angen i bawb ei chlywed
Ond cyn dweud mwy,
a gwneud ffŵl ohonof fy hun,
y mae rhywbeth y mae'n rhaid imi wneud,
rhywbeth y dylai fy nghyfaill fod wedi ei wneud -
mynd fel y bugeiliaid a gweld drosof fy hun.
Credaf fod hynny'n hanfodol
os ydych chi eich hun yn mynd i dderbyn rhywbeth
heb sôn am ddisgwyl i eraill wneud hynny.
Felly, rwyf yn cychwyn nawr,
i ddarganfod y gwirionedd,
i weld y plentyn
â'm llygaid fy hun.
Ac os gwelaf bopeth fel y dywedwyd wrthyf,
y baban yn gorwedd yn y preseb,
wedi ei lapio mewn cadachau,
af i ddweud wrth eraill yr hyn a welais.
Wedi'r cyfan, beth arall sydd i'w wneud
ond dweud?

Gweddi

O! Dduw,
rhoddaist i'r byd
Newyddion Da yng Nghrist.
Helpa ni i glywed y neges o'r newydd,
a'i gydnabod yn Newyddion Da i ni.
Helpa ni i agor ein meddyliau a'n calonnau iddo,
a cheisio ei ddeall yng nghyd destun ein byd a'n bywyd ni.

Helpa ni i rannu neges Iesu
fel y daw eraill i sylweddoli
yr hyn a wnaeth drostynt

11

BRON AG ANOBEITHIO'N LLWYR

Simeon

Darllen: Luc 2:22, 25-32

Pan ddaeth amser eu puredigaeth yn ôl Cyfraith Moses, cymerodd ei rieni ef i fyny i Jerwsalem i'w gyflwyno i'w Arglwydd......
Yn awr yr oedd dyn yn Jerwsalem o'r enw Simeon; dyn cyfiawn a duwiol oedd hwn, yn disgwyl am ddiddanwch Israel; ac yr oedd yr Ysbryd Glân arno. Yr oedd wedi cael datguddiad gan yr Ysbryd Glân na welai farwolaeth cyn gweld Meseia'r Arglwydd. Daeth i'w deml dan arweiniad yr Ysbryd; a phan ddaeth y rhieni â'r plentyn Iesu i mewn, i wneud ynglŷn ag ef yn unol ag arfer y Gyfraith, cymerodd Simeon ef i'w freichiau a bendithiodd Dduw gan ddweud: "Yn awr yr wyt yn gollwng dy was yn rhydd Arglwydd, mewn tangnefedd yn unol â'th air; oherwydd y mae fy llygaid wedi gweld dy iachawdwriaeth, a ddarperaist yng ngŵydd yr holl bobloedd; goleuni i fod yn ddatguddiad i'r Cenhedloedd ac yn ogoniant i'th bobl Israel."

Myfyrdod

Bu bron i mi anobeithio'n llwyr.
Wedi blynyddoedd o aros a myfyrio,
ni chredais y gwelwn ei ddyfodiad wedi'r cyfan.
Pam ddylwn i fod yn wahanol, gofynnais i mi fy hun?
Pam ddylwn i weld y Meseia
a chymaint o bobl eraill wedi eu siomi?
Ond gwn yn awr na ddylwn fod wedi amau.
Roeddwn wedi dyfalbarhau i ddweud wrth eraill y deuai rhyw ddiwrnod,
ac fe ddaeth, yn union fel yr addawodd Duw.
Dyna i chi lawenydd,
cael ei ddal yn fy mreichiau,
syllu ar ei wyneb
a gwybod nad oedd Duw wedi'n anghofio.

Dyna ryddhad o wybod na chawsom ein twyllo,
nad oeddwn yn colli arni,
mai nid breuddwyd wag oedd y cyfan.
Bu'n werth y cyfan,
y gwawd,
y dirmyg
a'r syllu amheus.
Gallwn ddal fy mhen yn uchel
wedi glynu wrth y ffydd doed a ddelo.
Gwn iddynt fy ystyried yn eithafwr crefyddol,
ac y mae rhai yn dal i gredu hynny.
Ni allent weld y gwirionedd a hwnnw yn syllu arnynt,
yno o flaen eu llygaid.
Y tristwch yw eu bod yn dal i ddisgwyl y Meseia,
dal i obeithio,
dal i weddïo am ei ddyfodiad
ac yntau yma yn eu plith.
Rwy'n cael fy nhemtio i ofyn
"Pwy sy'n chwerthin nawr?"
Ond na, ni allaf wneud hynny.
Dyma'r unig beth sy'n cymylu fy llawenydd ar hyn o bryd.
Y mae fy llygaid wedi gweld ei iachawdwriaeth,
a gallwn farw'n hapus ac yn dawel yr eiliad nesaf
pe gallasent hwy weld drostynt eu hunain
a phrofi'r llawenydd y gwn i amdano.

Gweddi

O! Dduw Cariad,
mae'n anodd credu weithiau
yn wyneb amgylchiadau'r byd.
Y mae'n anos pan fo pobl o'n cwmpas
yn ein gwawdio am dy ddilyn di.
Rho i ni nerth,
ar waetha'r amgylchiadau
i sefyll dros ein hargyhoeddiadau,
i lynu wrth ein ffydd,
ac ymddiried yn dy fuddugoliaeth di.

12

BETH DDYWEDODD SIMEON NAWR?

Mair, Mam Iesu

Darllen: Luc 2: 33-35

Yr oedd ei dad a'i fam yn rhyfeddu at y pethau oedd yn cael eu dweud amdano.Yna bendithiodd Simeon hwy, a dywedodd wrth Fair ei Fam, "Wele, gosodwyd hwn er cwymp a chyfodiad llawer yn Israel, ac i fod yn arwydd a wrthwynebir; a thithau trywenir dy enaid di gan gleddyf; felly y datguddir meddyliau calonnau lawer."

Darllen: Ioan 19: 25-27

...yn ymyl croes Iesu yr oedd ei fam ef yn sefyll gyda'i chwaer, Mair gwraig Clopas, a Mair Magdalen. Pan welodd Iesu ei fam, felly, a'r disgybl yr oedd yn ei garu yn sefyll yn ei hymyl, meddai wrth ei fam, "Wraig, dyma dy fab di." Yna dywedodd wrth y disgybl, "Dyma dy fam di." Ac o'r awr honno, cymerodd y disgybl hi i mewn i'w gartref.

Myfyrdod

Beth ddywedodd Simeon nawr?
"Trywenir dy enaid di gan gleddyf?"
Rwyf wedi colli llawer iawn o gwsg yn meddwl am honna.
Troi a throsi yn fy ngwely,
yn poeni ac yn hel meddyliau.
Yr oedd yn beth rhyfedd i'w ddweud
yn enwedig a hithau'n gyfnod mor llawen i ni.
Newydd gyrraedd oedd Iesu,
ac yr oedd fy ngalon yn dal i lamu o lawenydd.
Roeddem ein dau wedi gwirioni,
a Simeon hefyd, dyna sy'n od -
yr oedd bron â llewygu gan lawenydd.
Ond yna newidiodd ei wedd,
a chyflwynodd y rhybudd hwn fu'n hunllef imi ar hyd fy oes.

Bu'n amhosibl ei anghofio.
Rwyf wedi gofyn i mi fy hun dro ar ôl tro,
beth oedd ystyr ei eiriau?
A phe baech chi wedi gofyn wythnos yn ôl
ni fuaswn wedi bod yn sicr o'r ateb.
Roedd gen i ryw syniad erbyn hynny wrth gwrs -
roedd yr ofnau'n cynyddu -
ond roeddwn i'n dal i obeithio
a gweddio fy mod i'n anghywir.
Erbyn hyn rwy'n gwybod .
Nid wedi ei thrywannu mae fy ngalon,
ond wedi ei thorri.
Ohewrydd sefais yma heddiw a gwylio fy mab yn marw.
Gwyliais ef yn cael ei wawdio a'i ddirmygu.
Gwyliais wrth idynt bwnio'r hoelion drwy ei ddwylo
a'i godi ar y groes.
Gwyliais ef yn ei boen ac yn llefain mewn anobaith.
Ac ychydig eiliadau'n ôl gwyliais wrth iddynt ei drywannu â saeth yn ei ystlys.
Diolch i Dduw na theimlodd y boen,
oherwydd ei fod wedi marw erbyn hynny -
ond fe deimlais i.
Nid wyf erioed wedi profi'r fath boen,
y fath wewyr
y fath erchylltra.
Teimlaf erbyn hyn fod bywyd ar ben i minnau.
Eto cefais ganddo lawenydd na all neb ei ddwyn oddi arnaf.
Cefais ei gwmni am ddeng mlynedd ar hugain -
bu'n bopeth a allai mab fod -
nid pob mam all ddweud hynny.
Cefais lawenydd,
ac yn awr rwy'n boenus.
Hwyrach mai felly bu'n rhaid i bethau fod,
y mae'n rhaid i bethau fod,
os oes llawenydd i fod o gwbl.

Gweddi

Wedi llawenydd, tristwch;
wedi chwerthin, dagrau;
wedi pleser, poen.
Gwyddom nad oes un peth heb y llall.
Ond gwyddom o Dduw dy fod ti yno
yn llawenydd genedigaeth Iesu
ac yn nhristwch ei farwolaeth.
Dysg ni,
dy fod ti gyda ni bob amser,
yn ein dathliadau
ac yn ein profedigaethau.

13

CREDAIS NA DDEUAI BYTH

Anna

Darllen: Luc 2:36-38

Yr oedd proffwydes hefyd, Anna merch Phanuel o lwyth Aser, Yr oedd hon yn oedrannus iawn, wedi byw saith mlynedd gyda'i gŵr ar ôl priodi, ac wedi parhau'n weddw nes ei bod yn awr yn bedair a phedwar ugain oed. Ni byddai byth yn ymadael â'r deml, ond yn addoli gan ymprydio a gweddïo ddydd a nos. A'r awr honno safodd hi gerllaw a moli Duw, a llefaru am y plentyn wrth bawb oedd yn disgwyl rhyddhad Jerwsalem.

Myfyrdod

Credai na ddeuai byth,
yn wir i chi.
Nid digon dweud fy mod i'n hen,
yr oeddwn yn hynafol.
Ag eto doedd dim sôn am Feseia,
dim awgrym am ei ddod.
Dechreuais amau i'r holl flynyddoedd o weddïo ac ymprydio
fod yn wastraff llwyr.
Ar waethaf fy nuwioldeb ymddangosiadol,
yr oeddwn yn amau popeth,
ac yn cwestiynu popeth.
Pam na welodd Duw yn dda i ateb fy ngweddïau?
Pam na fu iddo gydnabod fy ffyddlondeb?
Pam y dylwn gredu, os nad oedd credu yn gwneud mymryn o wahaniaeth?
Daliais ati i gadw wyneb,
i lefaru'n ddisgwylgar gyda golwg ar y dyfodol -
ond doedd gennyf i fawr o ffydd yn y dyfodol hwnnw,
yn arbennig ar ôl yr holl siomedigaethau.
Ond un diwrnod,

wrth faglu 'nôl i'r deml am ragor o weddïau,
gwelais ef,
Meseia Duw.
Peidiwch â gofyn sut y gwyddwn,
digon yw dweud fy mod yn gwybod,
a hynny heb amheuaeth.
Dyna'r diwrnod mwyaf yn fy mywyd,
a braint annisgrifiadwy.
Dysgodd y profiad hwnnw,
na ddylwn fyth anobeithio,
na ddylwn fyth ollwng gafael.
Dysgais fod achos i obeithio bob amser.
Dysgais y dylwn barhau i ddisgwyl
ar waethaf troeon creulon yr yrfa.
Dysgodd i mi nad yw Duw byth yn gorffen ei waith.
Do, collais olwg ar y gwirionedd hwnnw.
Roeddwn wedi dod at y dibyn
yn credu fod Duw wedi fy anghofio.
Ond fel arfer, cadwodd y gorau hyd y diwedd,
a gwn yn awr er bod yr aros drosodd,
y mae mwy i ddod
mwy i'w ddisgwyl
mwy i'w ddathlu.
Oherwydd er bod fy mywyd yn dirwyn i ben,
nid ydyw ond wedi dechrau!

Gweddi

O! Dduw Cariad,
gyda threigl y blynyddoedd
teimlwn hi'n anodd, fel Anna gynt,
i gadw'r ffydd.
Wrth wynebu siomedigaethau dirif,
a'n gweddïau yn ymddangos heb eu hateb,
y mae'n ffydd yn gwegian,
a breuddwydion bore oes ar chwâl
yn wyneb ffeithiau moel ein profiad.
Eto, yr wyt ti drwy Iesu Grist, yn ein dysgu -

i beidio anobeithio yn y dyfodol.
Cynorthwya ni i barhau
i ymddiried ym muddugoliaeth dy Gariad
a dyfodiad dy deyrnas.

14

ROEDD HI'N WERTH YR AROS

Y Sêr - ddewiniaid

Darllen: Mathew 2: 1-12

Wedi i Iesu gael ei eni ym Methlehem Jwdea yn nyddiau'r Brenin Herod, daeth sêr-ddewiniaid o'r dwyrain i Jerwsalem a holi, "Ble mae'r hwn a anwyd i fod yn frenin yr Iddewon? Oherwydd gwelsom ei seren ef ar ei chyfodiad, a daethom i'w addoli." A phan glywodd y Brenin Herod hyn, cythruddwyd ef, a Jerwsalem i gyd gydag ef. Galwodd ynghyd yr holl brif offeiriaid ac ysgrifenyddion y bobl, a holi ganddynt ble yr oedd y Meseia i gael ei eni. Eu hateb oedd, "Ym Methlehem Jwdea, oherwydd felly yr ysgrifennwyd gan y proffwyd:
'A thithau Bethlehem yng ngwlad Jwda, nid y lleiaf wyt ti o lawer ymysg tywysogion Jwda, canys ohonot ti y daw allan arweinydd a fydd yn fugail ar fy mhobl Israel.' Yna galwodd Herod y sêr-ddewiniaid yn ddirgel ato, a holodd hwy'n fanwl pa bryd yr oedd y seren wedi ymddangos. Anfonodd hwy i Fethlehem gan ddweud, "Ewch a chwiliwch yn fanwl am y plentyn, a phan fyddwch wedi dod o hyd iddo, rhowch wybod i mi er mwyn i minnau hefyd fynd i'w addoli." Wedi gwrando ar y brenin aethant ar eu taith, a dyma'r seren a welsant ar ei chyfodiad yn mynd o'u blaen hyd nes iddi ddod ac aros uwchlaw'r man lle'r oedd y plentyn. A phan welsant y seren, yr oeddent yn llawen dros ben. Daethant i'r tŷ a gweld y plentyn gyda Mair ei fam; syrthiasant i lawr a'i addoli, ac wedi agor eu trysorau offrymasant iddo anrhegion, aur a thus a myrr. Yna, ar ôl cael eu rhybuddio mewn breuddwyd i beidio â dychwelyd at Herod, aethant yn ôl i'w gwlad ar hyd ffordd arall.

Myfyrdod

Roedd hi'n werth yr aros unwaith y gwelsom y seren,
yn werth y drafferth,
yn werth yr ymdrech
ac yn werth yr aberth.

Cawsom ddigon o achos i amau credwch fi!
Wrth farchogaeth llwybrau llychlyd yr anialwch,
a'r haul tanbaid uwchben yn llethol
daeth amheuaeth heibio yn rhy aml o lawer.
Credasom ein bod wedi camddehongli yr arwyddion.
Bu yno ddadlau brwd ynglyn â dal ati wedi'r holl amser.
Ac wedi cyrraedd Jerwsalem a chael fod gan neb yno
y syniad lleiaf beth oedd yn digwydd,
roedd hi'n demtasiwn fawr i droi am adref.
Y digwyddiad mwyaf yn eu hanes,
a neb yn sylweddoli arwyddocâd yr achlysur.
Ond diolch i'r drefn, aeth rhywun i chwilio tudalennau un o'u proffwydi,
a gwyddwn wedyn ble i fynd.
Yr oedd y cwbl yno ar ddu a gwyn
pe baent wedi mynd i'r drafferth i edrych.
Beth bynnag, dyma gyrraedd o'r diwedd,
a bu'n werth yr holl drafferthion.
Yn y plentyn hwn, gwelsom frenin gwahanol i'r arfer,
teyrnas wahanol i'r hyn a welsom o'r blaen.
Felly, nid cyflwyno ein hanrhegion yn unig a wnaethom,
ond ymostwng ar ein gliniau i'w addoli.
Allwch chi ddychmygu hynny?
Dynion cryf yn eu hoed a'u hamser,
parchus,
cyfoethog,
pwysig,
yn ymgrymu gerbron baban.
Ac eto, ymddangosai'r weithred mor naturiol,
yr adwaith mwyaf naturiol,
yr unig adwaith priodol!

Gweddi

Arglwydd Iesu Grist,
yr wyt wedi ein hannog i geisio er mwyn cael.
Ond nid yw'r chwilio yn hawdd bob amser.
Wrth chwilio am ystyr i'n bywyd,

y mae cymaint o bethau yn ein drysu.
Mwyaf i gyd a ddarganfyddwn,
y mwyaf i gyd y sylweddolwn cyn lleied a wyddom.
Rho i ni benderfyniad y doethion,
i ddyfalbarhau,
ar waetha'r cyfan sy'n dy guddio di,
a chael ar derfyn y daith
dy ddarganfod trosom ein hunain.

15

TYBED A OEDDEN NHW'N IAWN

Herod

Darllen: Mathew 2:16-18

Yna, pan ddeallodd Herod iddo gael ei dwyllo gan y sêr-ddewiniaid, aeth yn gynddeiriog, a rhoddodd orchymyn i ladd pob un o'r plant ym Methlehem a'r holl gyffiniau oedd yn ddwyflwydd oed neu lai, gan gyfrif o'r amser a hysbyswyd iddo gan y sêr-ddewiniaid. Felly y cyflawnwyd y gair a lefarwyd trwy Jeremeia'r proffwyd: "Clywyd llef yn Rama, wylofain a galaru dwys; Rachel yn wylo am ei phlant, ac ni fynnai ei chysuro, am nad oeddent mwy."

Myfyrdod

Tybed a oedden nhw'n iawn,
y pererinion hynny o'r Dwyrain?
Hwyrach nad wedi eu camarwain
yr oeddent wedi'r cyfan.
Chwarddais wrth glywed eu stori
am ddilyn rhyw seren, -
dyma beth oedd dynion gwallgof.
Ond dynion gwallgof cyfoethog,
a fyddai'n barod i dalu'n ddrud am wybodaeth efallai.
Felly, gelwais yr ysgrifenyddion
i wneud ychydig o waith ymchwil.
Ond beth oedd canlyniad yr ymchwil?
Bethlehem! Ie wir i chi,
Bethlehem o bobman!
Rhagfynegwyd gan y proffwyd Meica mae'n debyg.
Ie, Bethlehem!
Y twll hwnnw yng nghanol unlle.
Nid lle i frenin gael ei eni yn sicr.
Na, mae'n rhaid mai Jerwsalem ydoedd,
byddai unrhyw ffwl wedi medru gweld hynny.

Beth bynnag, ni anwyd yr un brenin,
neu fi fyddai'r cyntaf i wybod.
Doedd dim perygl i neb call
lygadu fy ngorsedd i mwyach.
Mae pobl yn cofio'n iawn yr hyn ddigwyddodd
i'r olaf i wneud hynny.
Ni roddais fawr o goel, felly,
ar y sibrydion hyn,
ond rhag ofn,
gofynnais iddynt ddychwelyd ataf
gyda'r newyddion diweddaraf.
Doeddwn i ddim wedi disgwyl iddynt wneud wrth gwrs,
ac felly y bu.
Mae'n siwr eu bod wedi ei baglu hi am adref
a'u cynffonnau rhwng eu coesau.
Ond wyddoch chi beth?
Bu'n anodd cysgu y dyddiau diwethaf hyn,
ers clywed y sibrydion am dri gwr diarth.
Mae'n debyg iddynt ymddangos ym Methlehem
a chyflwyno anrhegion,
aur, thus a myrr
i faban a anwyd mewn stabl o bobman.
Fe all mai stori ddiniwed ydyw wrth gwrs,
ond mae'n swnio'n anghyffyrddus o debyg
i'r tri fu yma'n holi.
Ac os felly, pwy yw'r plentyn hwn?
Beth wyddent hwy amdano?
Pan na fu iddynt ddychwelyd?
A oes rhywbeth rhyfedd yn digwydd tybed?
A oes bygythiad i'r orsedd wedi'r cyfan?
Tybed a oedd y proffwyd hwnnw ers talwm
yn dweud y gwir?
Mae'n annhebygol iawn, ond rhag ofn
mi rof ergyd i'r syniad unwaith ac am byth,
ergyd farwol.

Gweddi

O Dduw,
mae'n anodd cyfaddef
ein bod wedi gwneud camgymeriad.
Hyd yn oed a ninnau'n ymwybodol o'n beiau
fe ddaliwn ati i anwybyddu llais cydwybod.
Maddau i ni ein balchder a'n hystyfnigrwydd.
Rho i ni ras i gydnabod ein camgymeriadau,
fel y medrwn ddarganfod y maddeuant sydd ynot ti.

Y GRAWYS

16

MAE RHYWBETH O'I LE O HYD

Ioan Fedyddiwr

Darllen: Mathew 3: 13-17

Yna daeth Iesu o Galilea i'r Iorddonen at Ioan i'w fedyddio ganddo. Ceisiodd Ioan ei rwystro, gan ddweud, "Myfi sydd ag angen fy medyddio gennyt ti, ac yr wyt ti yn dod ataf fi?" Meddai Iesu wrtho, "Gad imi ddod yn awr, oherwydd fel hyn y mae'n weddus i ni gyflawni popeth y mae cyfiawnder yn ei ofyn." Yna gadodd Ioan iddo ddod. Bedyddiwyd Iesu, ac yna, pan gododd allan o'r dŵr, dyma'r nefoedd yn agor iddo, a gwelodd Ysbryd Duw yn disgyn fel colomen ac yn dod arno. A dyma lais o'r nefoedd yn dweud, "Hwn yw fy Mab, yr Anwylyd; ynddo ef yr wyf yn ymhyfrydu."

Myfyrdod

Mae rhywbeth o'i le o hyd
wedi'r holl amser hyn,
myfi Ioan yn bedyddio Iesu!
Fe geisiais ei rwystro,
ni allwn gredu pan welais ef yn dod ataf i'r dŵr.
Credais am eiliad mai ef oedd am fy medyddio i.
Ond yna, edrychais i fyw ei lygaid
a gwyddwn ei fod o ddifrif.
Er i mi deimlo nad oedd hyn yn iawn
yr oedd yn benderfynnol
Doeddwn i ddim yn deilwng
i glymu carai ei esgidiau.
Treuliais fy ngweinidogaeth yn disgwyl ei ddyfodiad,
gan dynnu'r sylw oddi wrthyf i a chyfeirio pobl ato ef.
Fy unig ddymuniad oedd
cael paratoi'r ffordd iddo.
Buaswn wedi bodloni ar ei weld yn unig,
i'w sicrhau i mi geisio gwneud fy rhan.

Ond nid hynny oedd ei fwriad ef
a bu'n rhaid imi ufuddhau.
Yn crynu gan ofn,
wedi fy syfrdanu gan y fraint -
myfi Ioan a'i bedyddiodd Ef.
Roedd hi'n amlwg i'r achlysur
greu argraff ddofn arno,
gloywodd ei wyneb
yn serennu gan lawenydd,
yn union fel pe tai'n clywed Duw yn llefaru.
Ond yr hyn y mae pobl yn dueddol o anghofio
yw iddo fod yn ddiwrnod bythgofiadwy i minnau hefyd,
diwrnod i'w drysori,
diwrnod mwyaf fy mywyd!

Gweddi

Arglwydd Iesu,
daethost i'n byd yn Frenin y Brenhinoedd
ac yn Arglwydd yr Arglwyddi,
ac eto i gyd yn was i bawb.
Daethost yn haeddiannol o'n mawl ac addoliad,
eto'n barod i dderbyn gwawd, gwrthodiad a dioddefaint
er ein mwyn.
Daethost i roi bywyd yn ei gyflawnder,
eto rhoddaist dy fywyd dy hun er mwyn bywyd y byd.
Dysg i ni adnabod gwerthoedd dy deyrnas,
y gwerthoedd sy'n troi'r byd wyneb i waered.
Helpa ni i ddeall fod nerth mewn gwendid,
mawredd mewn gwyleidd-dra,
a bod cyfrinach bywyd yn rhoi ein bywyd i eraill

17

SUT Y GWYDDAI EF?

Nathanael

Darllen: Ioan 1: 43-51

Trannoeth penderfynodd Iesu ymadael a mynd i Galilea. Cafodd hyd i Philip, a meddai wrtho. "Canlyn fi." Gŵr o Bethsaida, tref Andreas a Pedr, oedd Philip. Cafodd Philip hyd i Nathanael a dweud wrtho, "Yr ydym wedi darganfod y gŵr yr ysgrifennodd Moses yn y gyfraith amdano, a'r proffwydi hefyd, Iesu fab Joseff o Nasareth." Dywedodd Nathanael wrtho "A all dim da ddod o Nasareth?" "Tyrd i weld," ebe Philip wrtho. Gwelodd Iesu Nathanael yn dod tuag ato, ac meddai amdano, "Dyma Israeliad gwerth yr enw, heb ddim twyll ynddo. Gofynnodd Nathanael iddo, "Sut yr wyt yn f'adnabod i?" Atebodd Iesu ef: "Gwelais di cyn i Philip alw arnat, pan oeddit dan y ffigysbren." "Rabbi," meddai Nathanael wrtho, "ti yw Mab Duw, ti yw Brenin Israel." Atebodd Iesu ef: "A wyt yn credu oherwydd i mi ddweud wrthyt fy mod wedi dy weld dan y ffigysbren? Cei weld pethau mwy na hyn." Ac meddai wrtho, "Yn wir, yn wir, 'rwy'n dweud wrthych, cewch weld y nef wedi agor, ac angylion Duw yn esgyn ac yn disgyn ar Fab y Dyn."

Myfyrdod

Sut y gwyddai ef?
Dyna'r cwestiwn a ofynnais i mi fy hun ganwaith
ac eto nid wyf fymryn nes at gael ateb.
Ond does dim amheuaeth ei fod yn gwybod,
gwyddai pwy oeddwn cyn i mi yngan un gair,
a gwyddai fy mwriad er fy ymdrech i'w guddio.
Pan ddywedodd Philip amdano, ceisiais ei ddilorni
a rhoi'r argraff nad oedd gennyf ddiddordeb.
"Nasareth," wfftiais, " all unrhyw dda ddod o'r fan honno?"
Roedd hynny'n beth gwirion i'w ddweud, mi wn,
dylaswn fod yn gwybod yn well.

Rwy'n deall nawr pam fod Philip wedi edrych arnaf
mewn syndod a siom.
Diddordeb? Wrth gwrs fod gennyf ddiddordeb.
O dan yr wyneb yr oeddwn
yn ysu am gael gwybod mwy.
Yr oedd newyn arnaf;
newyn am bwrpas i'm bywyd gwag,
newyn am obaith wedi siomedigaethau dirifedi,
newyn am Dduw mewn modd na all geiriau ei fynegi.
Gwelodd Iesu hynny.
Sylweddolodd fy angen
gwyddai fy meddyliau.
Ni allwn ei dwyllo wedi hynny,
ni allwn ymddangos yn ddifater.
Roeddwn wedi fy nghyfareddu,
daliwyd fi gan y dyn,
gwyddwn i sicrwydd fel y dywedodd Philip
mai hwn oedd y Meseia.
Ond er mor rhyfeddol yr wybodaeth honno,
nid oedd yn ddigon.
Yr oedd llawer mwy i wybod.
Nid dyn yn unig mohono,
ond un a anfonwyd gan Dduw,
yn gweld â llygaid Duw,
yn llefaru ag awdurdod Duw,
yn gweithredu drwy nerth Duw.
Dyna'r cychwyn i mi, a dim ond y cychwyn.
Dyna'r foment yr heuwyd yr had,
ond yr oedd mwy i'w ddysgu,
mwy i'w weld,
a mwy i'w ddeall cyn i'r had egino.
Meiddiais gredu fy mod yn ei adnabod cyn ei weld;
Credais y gallwn benderfynu ar sail tystiolaeth eraill.
Erbyn hyn, wedi blynyddoedd o wasanaethu,
blynyddoedd o wrando,
blynyddoedd o ddilyn,
sylweddolaf cyn lleied a wn
am y dyn a'm hadnabyddodd y pryd hwnnw

ac sydd yn fy adnabod heddiw
yn well nag yr adnabyddaf fy hunan.

Gweddi

Arglwydd Iesu Grist,
gwyddost bopeth amdanom.
"Gwyddost gudd feddyliau nghalon
a chrwydradau mynych hon"
Yr wyt yn ein gweld fel yr ydym,
y da a'r drwg,
y ffyddlon a'r anffyddlon,
y dymunol a'r annymunol.
Ni allwn ddianc na chuddio oddi wrthyt ti,
ond ar waethaf ein beiau yr wyt yn dal i'n caru.
Arglwydd,
cynorthwya ni bob amser i gofio hynny,
ac i orfoleddu yn rhyfeddod dy ras.

18

YR OEDD WEDI BLINO'N LLWYR

Mair, Mam Iesu

Darllen: Luc 4: 1-13

Dychwelodd Iesu, yn llawn o'r Ysbryd Glân, o'r Iorddonen, ac arweiniwyd ef gan yr Ysbryd yn yr anialwch am ddeugain diwrnod, a'r diafol yn ei demtio. Ni fwytaodd ddim yn ystod y dyddiau hynny, ac ar eu diwedd daeth arno eisiau bwyd. Meddai'r diafol wrtho, "Os Mab Duw wyt ti, dywed wrth y garreg hon am droi'n fara." Atebodd Iesu ef, "Y mae'n ysgrifenedig: 'Nid ar fara yn unig y bydd dyn fyw'" Yna aeth y diafol ag ef i fyny a dangos iddo ar amrantiad holl deyrnasoedd y byd, a dywedodd wrtho, "I ti y rhof yr holl awdurdod ar y rhain a'u gogoniant hwy; oherwydd i mi y mae wedi ei draddodi, ac yr wyf yn ei roi i bwy bynnag a fynnaf. Felly, os addoli di fi, dy eiddo di fydd y cyfan." Atebodd Iesu ef, "Y mae'n ysgrifenedig: 'Yr Arglwydd dy Dduw a addoli, ac ef yn unig a wasanaethi'." Ond aeth y diafol ag ef i Jerwsalem, a'i osod ar dŵr uchaf y deml, a dweud wrtho, "Os Mab Duw wyt ti, bwrw dy hun i lawr oddi yma; oherwydd y mae'n ysgrifenedig: 'Rhydd orchymyn i'w angylion amdanat, i'th warchod di rhag pob perygl', a hefyd: 'Byddant yn dy godi ar eu dwylo rhag iti daro dy droed yn erbyn carreg.'" Yma atebodd Iesu ef, "Y mae'r Ysgrythur yn dweud: 'Paid â gosod yr Arglwydd dy Dduw ar ei brawf.'" Ac ar ôl iddo ei demtio ym mhob modd ymadawodd y diafol ag ef, gan aros ei gyfle.

Myfyrdod

Yr oedd wedi blino'n llwyr.
A does dim syndod!
Deugain niwrnod yn yr anialwch? -
Mae hynny'n ddigon o uffern,
ond y mae bod yno heb fwyd yn ganmil gwaeth.
Ydi mae'n syndod ei fod yn fyw!
Roedd cyflwr dychrynllyd arno
pan ddychwelodd i Nasareth.

'Pam gwneud peth mor wirion?' gofynnais iddo.
'Beth ar wyneb daear ddaeth drosot?'
Yr unig beth y gallai ddweud wrthyf oedd
fod y cwbl yn dibynnu ar yr hyn a wnaeth.
Ni fu byth yr un fath wedyn.
Byddwn yn tynnu ei goes
ac awgrymu iddo gael gormod o haul!
Ond gwyddwn fod y peth yn ddyfnach na hynny.
Bu'n ymgodymu yno,
â'i hunan,
â'r byd,
â phwerau'r drwg,
ac mewn ffordd sydd y tu hwnt i'm deall i,
fe enillodd.
Bu'n gyfnod dirdynnol iddo -
gallwn weld y boen yn ei lygaid.
Bu'n frwydr fawr iddo
wrth ddod i benderfyniadau poenus
a wynebu bywyd ar ei waethaf.
Er na ddywedais wrtho, roeddwn yn ei edmygu.
Y mae angen gwroldeb i wynebu'r gwir,
y mae angen dewrder i geisio ystyr y cyfan.
Bu'n fachgen da erioed,
rhy dda yn nhyb rhywrai.
Hwyrach iddo fod yn rhy dda mewn ffordd -
ond cofiwch be fu canlyniad hynny maes o law!
Camgymeriad, er hynny, fyddai credu
i bethau ddod yn hawdd iddo.
Fe'i temtiwyd yn fynych,
a bu cyfnodau y gallai'n hawdd fod
wedi ildio,
cyfaddawdu
a phlygu am unwaith.
Gwn, er na ddywedodd wrthyf,
mai dyna a ddigwyddodd yn yr anialwch.
Dychwelodd yn gryfach,
yn sicrach
ac yn fwy penderfynol nag erioed.

Bu adegau wedi hyn wrth gwrs,
adegau lle bu'n rhaid iddo frwydro
llawn cymaint â chi a fi,
mwy efallai,
gan fod y llwybr a ddewisodd yn hawlio mwy.
Do fe'i temtiwyd ym mhob peth fel ninnau.
Y gwahaniaeth yw iddo lwyddo i oresgyn y cyfan,
hyd y diwedd.
Dyna sy'n ei wneud mor arbennig.
Dyna pam y mae pobl am ei ddilyn
hyd yn oed heddiw.

Gweddi

Dduw Grasol,
diolchwn am gyfnod Iesu yn yr anialwch.
Cynorthwya ni i ddilyn ei esiampl;
i fod yn effro i demtasiwn a'i wrthsefyll;
i neilltuo amser i wrando ar dy lais
ac i fyfyrio ar dy air.
Cynorthwya ni, beth bynag fo'r gost
i'th ddilyn a chyflawni dy ewyllys.
Tyn ni yn nes atat a chryfha ein ffydd.

19

ROEDD RHYWBETH YN EI LAIS

Aelod o'r Synagog yn Nasaraeth

Darllen: Luc 4: 16-30

Daeth i Nasareth, lle yr oedd wedi ei fagu. Yn ôl ei arfer aeth i'r synagog ar y dydd Saboth, a chododd i ddarllen. Rhoddwyd iddo lyfr y proffwyd Eseia, ac agorodd y sgrôl a chael y man lle'r oedd yn ysgrifenedig: " Y mae Ysbryd yr Arglwydd arnaf, oherwydd iddo f'eneinio i bregethu'r newydd da i dlodion. Y mae wedi f'anfon i gyhoeddi rhyddhad i garcharorion, ac adferiad golwg i ddeillion, i beri i'r gorthrymedig gerdded yn rhydd i gyhoeddi blwyddyn ffafr yr Arglwydd."

Wedi cau'r sgrôl a'i rhoi'n ôl i'r swyddog, fe eisteddodd; ac yr oedd llygaid pawb yn y synagog yn syllu arno. A'i eiriau cyntaf wrthynt oedd: "Heddiw yn eich clyw chwi y mae'r Ysgrythur hon wedi ei chyflawni."

Yr oedd pawb y ei gymeradwyo ac yn rhyfeddu at y geiriau grasusol oedd yn dod o'i enau ef, gan ddweud, "Onid mab Joseff yw hwn?" Ac meddai wrthynt, "Diau yr adroddwch wrthyf y ddihareb, 'Feddyg iachâ dy hun', a dweud ' Yr holl bethau y clywsom iddynt ddigwydd yng Nghapernaum, gwna hwy yma hefyd ym mro dy febyd.'" Ond meddai, " Yn wir, 'rwy'n dweud wrthych nad oes dim croeso i'r un proffwyd ym mro ei febyd. Ar fy ngwir 'rwy'n dweud wrthych, yr oedd llawer o wragedd gweddw yn Israel yn nyddiau Elias pan gaewyd y ffurfafen am dair blynedd a chwe mis, ac y bu newyn mawr ar yr holl wlad. Ond nid at un ohonynt hwy yr anfonwyd Elias, ond yn hytrach ar wraig weddw yn Sarepta yng ngwlad Sidon. Ac yr oedd llawer o wahangleifion yn Israel yn amser y proffwyd Eliseus, ac ni lanhawyd yr un ohonynt hwy, ond yn hytrach Naaman y Syriad." Wrth glywed hyn llanwyd pawb yn y synagog â dicter; codasant, a bwriasant ef allan o'r dref a mynd ag ef at ael y bryn yr oedd eu tref wedi ei hadeiladu arno, i'w luchio o'r clogwyn. Ond aeth ef drwy eu canol hwy, ac ymaith ar ei daith.

Myfyrdod

Roedd rhywbeth yn ei lais,
yn hyfrydwch i'w wrando,
yn glir fel y grisial.
Gallwn fod wedi eistedd yno drwy'r dydd,
a gadael i'r geiriau lifo trosof,
newydd da i'r tlawd,
rhyddhad i garcharorion,
adferiad golwg i ddeillion -
geiriau cyfarwydd,
esmwyth
a chysurus.
Neu felly y tybiais i.
Y tro hwn nid oeddent yn swnio mor gysurus.
Rhywsut wrth iddo lefaru
daethant yn fyw,
yn feddiannol ar nerth ac egni newydd.
Yr oedd fel pe tawn yn eu clywed am y tro cyntaf;
ond y tro hwn nid â phobl ddoe yr oedd y proffwyd yn llefaru,
ond heddiw,
nawr.
Ac yn sydyn, ni fynnwn glywed,
ni fynnwn wrando mwyach,
oherwydd gwisgwyd y geiriau ag ystyr newydd,
annisgwyl,
anghysurus
peryglus.
Cyffyrddwyd â mi mewn ffordd
na ddigwyddodd o'r blaen.
Gadawyd fi'n teimlo'n euog,
yn ofnus
ac yn gofyn beth oedd ystyr y geiriau
i rywun fel fi
nad oedd yn dlawd neu'n ddall,
ond yn hytrach
yn gyfoethog ac yn rhydd.
Er i mi gau fy nghlustiau
daliodd i lefaru,

ac o wrando eto ar waethaf fi fy hun,
clywais ef yn dweud,
' Nid oes dim croeso i broffwyd ym mro ei febyd.'
Nid llais deniadol mohono mwyach
ond llais bygythiol,
nid yn dwyn llawenydd
ond yn creu dicter.
Sylweddolais mai nid dod i gysuro yn unig wnaeth hwn
ond i herio,
nid i foliannu ond i gwestiynu
nid dod atom ni yn unig, ond at bawb.
Codais yn fy nicter,
ceryddais ef am ei gabledd,
gelwais am ei farwolaeth ef.
Ar waethaf ein cynddaredd a'n gwawd
cerddodd heibio i ni,
heb niwed
heb ei gyffwrdd.
Na ofynned neb sut? Ni wn.
Un peth a wn -
er ceisio gwadu
er ceisio anwybyddu -
yr oedd Iesu'n iawn i ddweud
'Heddiw yn eich clyw chwi
y mae'r Ysgrythur hon wedi ei chyflawni'

Gweddi

Arglwydd Iesu Grist,
cydnabyddwn di yn Arglwydd a Gwaredwr,
credwn mai ti yw'r Meseia,
pregethwn efengyl dy Groes a'th atgyfodiad.
Ond cyndyn ydym i wrando'r neges
sy'n herio ac yn anesmwytho,
sy'n llefaru am gyfiawnder i dlodion
rhyddhad i garcharorion
a gobaith i'r gorthrymedig.
Cynorthwya ni, nid yn unig i glywed yr hyn a ddymunwn ni,
ond i wrando, a cheisio dy ewyllys di.

20

DOEDD GEN I DDIM AMHEUAETH AR Y CYCHWYN

Pedr

Darllen: Mathew 10:1-4

Wedi galw ato ei ddeuddeg disgybl rhoddodd Iesu iddynt awdurdod dros ysbrydion aflan, i'w bwrw allan, ac i iachau pob afiechyd a phob llesgedd. A dyma enwau'r deuddeg apostol: yn gyntaf Simon, a elwir Pedr, ac Andreas ei frawd, ac Iago fab Sebedeus ac Ioan ei frawd, Philip a Bartholomeus, Thomas a Mathew'r casglwr trethi, Iago fab Alffeus, a Thadeus, Simon y Selot, a Jwdas Iscariot, yr un a'i bradychodd ef.

Myfyrdod

Doedd gen i ddim amheuaeth ar y cychwyn.
Roedd rhywbeth arbennig ynglyn â'r dyn i mi -
awdurdod ei lais,
gonestrwydd ei lygaid
yr hyn a'i gwnaeth hi'n amhosibl anufuddhau.
Yr oedd hwn yn unigryw,
roeddwn yn sicr o hynny,
yn ddyn y gellid ymddiried ynddo
a mentro'ch bywyd arno.
Credais os oedd rhywun yn werth ei ddilyn,
Iesu oedd y person hwnnw.
Ond erbyn hyn
nid wyf mor sïwr,
dim o gwbl a dweud y gwir.
Dychwelodd yn ddiweddar
gyda chriw o ddynion digon brith yr olwg.
Dyna i chi Mathew i gychwyn -
casglwr trethi o bawb! -
mae hynny'n sicr o roi'r clawr
ar unrhyw gefnogaeth newydd.
Yna Simon, un o'r Selotiaid -

clywsom am hwnnw,
un da am gynhennu yn ôl pob sôn;
gallwch fentro eich dimau olaf os bydd trwbl
a gwrthryfel yn y gwynt,
bydd ef yn ei chanol hi.
Mae'n rhy fuan eto i ddweud dim am y gweddill,
ond y mae gennyf fy amheuon,
yn enwedig Jwdas -
tipyn o grechyn os bu un erioed.
A Thadeus? I'r gwrthwyneb yn hollol,
creadur bach dinod a rhy dawel o bell ffordd i greu unrhyw argraff.
Nac ychwaith Bartholomeus o ran hynny.
Felly, beth sydd ar feddwl Iesu tybed?
Mae'n ddirgelwch llwyr i mi.
Peidiwch â'm camddeall, rwy'n ddigon hapus i'w ddilyn eto,
does dim cwestiwn am hynny,
ond dim os yw'n golygu cymysgu gyda'r criw yna.
Pam na allai fod wedi bodloni ar bysgotwyr
pobl barchus, synhwyrol a gonest.
Pam cymhlethu pethau,
a chasglu pobl o gefndiroedd gwahanol
sy'n meddu ar safbwyntiau gwahanol?
Yr oeddem yn gwybod yn iawn ble'r oeddem yn sefyll ar y cychwyn,
Iago, Ioan, Iesu a minnau..
Pe byddai angen eraill, gallwn fod wedi argymell llawer mwy,
cyfeillion, cydweithwyr na fyddent yn meiddio ysgwyd y cwch.
Ond nawr pwy a ŵyr?
Os na wn i, mae'n bosibl bod Iesu'n gwybod.
Hwyrach ei fod yn gwybod rhywbeth mwy na fi am y dynion hyn,
hwyrach fod ganddo bwrpas iddynt sydd y tu hwnt i'm deall i ar hyn o bryd.
Fe'i dilynaf am y tro
ar waethaf fy amheuon.
Mae'n amlwg ei fod ef yn disgwyl i ni gydweithio,
ac yn credu y medrwn ni.
Cawn weld.
Amser yn unig a ddengys.
Yr unig beth ddywedaf i, -

os yw hyn i weithio y mae angen gwyrth,
a honno'n wyrth go fawr!

Gweddi

O Arglwydd Iesu,
y mae'n hawdd cyd-dynnu â rhai pobl,
cawn hi'n anodd yng nghwmni eraill;
y mae rhai sydd yn ein denu,
ac eraill y tueddwn eu hosgoi;
y mae rhai y mae'n hawdd cydweithio â hwy,
ac eraill sy'n tynnu'r gwaethaf ohonom.
Eto fe'n gwnaethost yn deulu,
rhoddaist le i bawb beth bynnag fo'r gwahaniaethau.
Cynorthwya ni i weld cryfderau'r gwahaniaethau,
a helpa ni i ddysgu oddi wrth ein gilydd.

21

ROEDD GANDDO DDIDDORDEB

Mathew

Darllen: Mathew 9: 9-13

Wrth fynd heibio oddi yno gwelodd Iesu ddyn a elwid Mathew yn eistedd wrth y dollfa, a dywedodd wrtho, "Canlyn fi." Cododd yntau a chanlynodd ef. Ac yr oedd wrth bryd bwyd yn ei dŷ, a dyma lawer o gasglwyr trethi ac o bechaduriaid yn dod a chydfwyta gyda Iesu a'i ddisgyblion. A phan welodd y Phariseaid, dywedasant wrth ei ddisgyblion, "pam y mae eich athro yn bwyta gyda chasglwyr trethi a phechaduriaid?" Clywodd Iesu, a dywedodd, " Nid ar y cryfion ond ar y cleifion y mae angen meddyg. Ond ewch a dysgwch beth yw ystyr hyn, 'Trugaredd a ddymunaf, nid aberth'. Oherwydd i alw pechaduriaid, nid rhai cyfiawn, yr wyf fi wedi dod."

Myfyrdod

Roedd ganddo ddiddordeb,
hyd yn oed ynof fi.
Gwelodd dan yr wyneb,
dan y trachwant, yr hunanoldeb a'r llygredigaeth,
a datgelodd y person na wyddwn a fodolai.
Cystal cyfaddef i mi ochneidio wrth ei weld yn dod;
sychfoesolyn hunangyfiawn arall yn dod i'm gosod ar ben ffordd!
Roeddwn wedi cael fy nghyfran o'r rheini -
wedi'r cyfan, pwy sy'n hoffi casglwr trethi?
Ond nid oeddwn yn barod i gymryd dim gan neb.
Cofiwch, nid yw'n hawdd pan fo gennych wraig a phlant i'w bwydo -
rhaid i bawb ennill ei damaid rywsut
a gan mai'r Rhufeiniaid oedd yr unig bobl oedd yn barod i roi cyfle i mi
beth allwn ei wneud?
Does bosib eich bod yn credu fy mod yn hoffi gweithio iddynt?
Deallodd Iesu hynny, ac ataliodd rhag fy meirniadu a'm condemnio;
nid fel y Phariseaid dau wynebog,

dim o'r ciledrychiadau cyhuddgar neu ystumiau anweddus
dim ond dau air hyfryd:
'Dilyn fi'
Sefais mewn syndod a rhyfeddod.
Dyna'r peth olaf a ddisgwyliais,
tynnodd y gwynt o'm hwyliau.
Ond mwy na hynny, fe'm cyffrowyd,
fe'm cyffyrddwyd,
fe'm cyfareddwyd,
oherwydd iddo ddangos diddordeb ynof.
Nid oedd wedi fy niystyru,
derbyniodd fi fel yr oeddwn
gyda'm holl ffaeleddau.
A'r hyn sy'n rhyfedd yw mai fi a gyfeiriodd at y ffaeleddau hynny,
nid y fe.
Teimlais gywilydd,
yn ymwybodol o bopeth oedd o'i le,
yn dyheu am fod yn wahanol;
ac eto'r un pryd yn cael derbyn rhyddhad,
maddeuant
a dechreuad newydd.
Wrth gwrs fy mod wedi dilyn.
Beth arall allwn ei wneud?
Fyddech chi'n gwrthod dyn fel yna?
Efallai'n wir, ond rwy'n falch i mi beidio.
Oherwydd ar waethaf pob dim wedi hynny -
yr adegau pan siomais ef,
yr adegau pan gamddehonglais ef,
yr holl gamgymeriadau
y mae'n dal ati i'm derbyn yn feunyddiol,
nid am yr hyn a allwn fod.
Ond am yr hyn ydwyf.

Gweddi

Arglwydd Iesu,
diolchwn i ti am ein caru a'n derbyn
nid ar sail yr hyn a allwn fod ond fel yr ydym.

Diolchwn am dy ddiddordeb ynom.
Er dy fod yn gwybod am ein holl ffaeleddau.,
rwyt ti'n dewis gweld y gorau yn hytrach na'r gwaethaf.
Arglwydd,
maddau i ni am sylwi ar yr allanol yn unig,
a chondemnio pobl sydd yn edrych ar y byd a'i bethau
o safbwynt gwahanol i ni..
Helpa ni i ymddiddori ym mhobl eraill
fel yr wyt ti yn ymddiddori ynom ni.

22

CYFFYRDDODD Â MI!

Y Gwahanglwyf

Darllen: Marc 1: 40-45

Daeth dyn gwahanglwyfus ato ac erfyn arno ar ei liniau a dweud, "Os mynni, gelli fy nglanhau. " A chan dosturio estynnodd ef ei law a chyffwrdd ag ef a dweud wrtho, "Yr wyf yn mynnu, glanhaer di." Ymadawodd y gwahanglwyf ag ef ar unwaith, a glanhawyd ef. Ac wedi ei rybuddio'n llym gyrrodd Iesu ef ymaith ar ei union, ac meddai wrtho, "Gwylia na ddywedi ddim wrth neb, ond dos a dangos dy hun i'r offeiriad, ac offryma dros dy lanhad yr hyn a orchmynnodd Moses, yn dystiolaeth i'r bobl." Ond aeth yntau allan a dechreuodd roi'r hanes i gyd ar goedd a'i daenu ar led, fel na allai Iesu mwyach fynd i mewn yn agored i unrhyw dref, Yr oedd yn aros y tu allan, mewn lleoedd unig, ac eto yr oedd pobl yn dod ato o bob cyfeiriad.

Myfyrdod

Cyffyrddodd â mi!
Dyna i gyd.
Dim hud a lledrith,
dim campau dewinol,
dim cynnwrf,
dim ond un cyffyrddiad bach.
Roedd y cyfan mor syml,
mor arbennig;
y tro cyntaf i rywun fy nghyffwrdd ers cyn cof,
y tro cyntaf i rywun edrych yn garedig arnaf
yn hytrach na syllu'n ffiaidd.
Yr eiliad y cyffyrddodd â mi teimlais yn lân.
Yr oedd baich wedi ei godi oddi arnaf,
baich clefyd,
arwahanrwydd,
anobaith.

Ymddangosai fel pe bai Duw wedi ymestyn ataf yn fy nhywyllwch
a dweud wrthyf ei fod yn fy ngharu wedi'r cyfan,
fod lle hyd yn oed i mi yn ei fynwes.
Edrychais, ac yr oedd fy nwylo'n symud,
estynnais hwy ac mi fedrwn deimlo,
ac yn sydyn yr oeddwn yn dawnsio,
neidio,
chwerthin,
rhedeg,
fel plentyn bach,
yn dathlu llawenydd bywyd!
'Rwy'n un o'r dorf bellach,
yn ôl gyda fy mhobl fy hun,
yn rhannu gyda'm teulu,
cerdded i'r farchnad,
addoli yn y synagog,
yn gymaint rhan o gymdeithas â neb.
Ni welaf ddim bai ar neb am y modd y cefais fy nhrin,
buaswn wedi ymddwyn yr un fath pe bawn yn eu hesgidiau.
Y mae pawb ohonom yn byw mewn ofn y gwahanglwyf.
Gwelsom ei rym,
y ffordd y mae'n dinistrio unigolion;
safasom yn ddiymadferth yn gwylio pobl yn datgymalu,
pobl brydferth yn cael eu hanffurfio mor erchyll -
ac fe safwn o hirbell
a cheisio cuddio'r broblem.
Mae'n greulon, mi wn,
yn anodd i'r dioddefwyr,
wedi eu gwahanu oddi wrth bopeth y maent yn eu caru.
Mi wn i o brofiad.
Ond pa ddewis sydd?
Gallaf eich sicrhau o un peth:
ni ddymunwn yr haint ar fy ngelyn pennaf.
Na, ni allaf weld bai ar neb,
ond wedi dweud hynny,
nid anghofiaf Iesu,
y gŵr a'm gwelodd fel yr oeddwn,
y gŵr a'm carodd fel yr oeddwn,

y gŵr a'm gwnaeth yr hyn ydwyf.

Gweddi

Arglwydd Iesu Grist,
er honni bod yn ddisgyblion i ti,
yr ydym yn gyndyn i uniaethu ein hunain ag anghenion y byd.
Siaradwn am wasanaeth ond yr ydym yn gyndyn i dorchi llewys.
Siaradwn am dosturi gan gadw'r anghenus hyd braich.
Dysg i ni nid yn unig i siarad am ffydd a chariad
ond i'w dangos.

23

CYHOEDDAIS EI DDYFODIAD

Ioan Fedyddiwr

Darllen Luc 7: 18-23

Rhoes disgyblion Ioan adroddiad iddo ynglŷn â hyn oll. Galwodd yntau ddau o'i ddisgyblion ato a'u hanfon at yr Arglwydd, gan ofyn, "Ai ti yw'r hwn sydd i ddod, ai am rywun arall yr ydym i ddisgwyl?" Daeth y dynion ato a dweud, " Anfonodd Ioan Fedyddiwr ni atat, gan ofyn, 'Ai ti yw'r hwn sydd i ddod, ai am rywun arall yr ydym i ddisgwyl?'" Y pryd hwnnw iachaodd ef lawer o afael afiechydon a phlâu ac ysbrydion drwg, a rhoes eu golwg i lawer o ddeillion. Ac atebodd ef hwy, "Ewch a dywedwch wrth Ioan yr hyn yr ydych wedi ei weld ac wedi ei glywed. Y mae'r deillion yn cael eu golwg yn ôl, y cloffion yn cerdded, y gwahangleifion yn cael eu glanhau a'r byddariaid yn clywed, y meirw yn codi, y tlodion yn cael clywed y newydd da. Gwyn ei fyd y sawl na ddaw cwymp iddo o'm hachos i."

Myfyrdod

Cyhoeddais ei ddyfodiad,
gwnes bopeth a allwn i bwysleisio'r neges,
ond ni wrandawsant.
Cofiwch, roeddwn i'n tybio eu bod nhw ar y pryd.
Daethant yn dyrfaoedd i'm clywed,
yn rhannol o chwilfrydedd,
yn rhannol am eu bod yn dilyn eu cyfeillion fel defaid,
ond fe ddaethant ac ymateb.
Collais gyfrif o'r nifer a fedyddiais,
ond yr oedd cannoedd
os nad miloedd ohonynt,
a phob un ohonynt yn ddigon diffuant.
Roeddent yn credu fod yr amser wedi dod,
fod y Meseia yn dod o'r diwedd,
a'u dymuniad oedd bod yn barod i'w dderbyn,

yn barod i ymateb iddo.
Ond a oeddent wedi deall?
Dyna fy mhenbleth i.
A dweud y gwir, dydw i ddim yn sïwr bellach,
a finnau yma mewn carchar yn dihoeni ers misoedd.
Doeddwn i ddim wedi disgwyl hyn,
dim ar ôl yr holl lafur,
a'r oriau a dreuliais yn yr anialwch.
Rwy'n credu fy mod yn haeddu gwell,
a rwy'n amau bellach ai ef yw'r Meseia wedi'r cyfan.
Nid fy mwriad ydyw eich dychryn,
ond yr wyf wedi cael digon o amser i ofyn,
ai camgymeriad oedd y cyfan?
Nid oedd gennyf amheuaeth
pan welais ef y tro cyntaf.
Meddiannwyd fi gan lawenydd
ac am yr wythnosau canlynol
yr oeddwn yn y seithfed nef.
Ond bellach, dyma fi,
fel anifail mewn cawell
ac yn ei chael hi'n anodd cynnal fy ffydd.
Daeth i ryddhau carcharorion,
felly pam fy mod i mewn carchar?
Daeth i gyhoeddi Teyrnas Dduw,
felly, pam fod Herod yn teyrnasu?
Daeth i iachau'r cleifion,
felly pam ydw i mor sâl?
Daeth i gynnig bywyd yn ei gyflawnder,
felly, pam mod i'n arogli marwolaeth?
Gwaith drud fu paratoi'r ffordd iddo,
drytach nag a freuddwydiais erioed,
ac ar waethaf popeth rwy'n dechrau amau,
mae gennyf bentwr o gwestiynau heb eu hateb.
Ai ef yw'r Meseia,
yntau ofer fu'r cyfan?
Ydw i wedi colli rhywbeth?
Byddai'n dda cael gwybod i sicrwydd,
ond ni allaf –

hwyrach mai dyna holl ystyr ffydd!

Gweddi

Arglwydd ein Duw,
credwn dy fod wedi dangos y ffordd, y gwirionedd a'r bywyd
i ni yn Iesu Grist.
Ond ochr yn ochr â ffydd y mae amheuaeth.
Nid oes gennym atebion,
ac eto y mae gennym bentwr o gwestiynau.
Credwn mai'r cwestiynnau hynny
all ein harwain i ffydd ddyfnach.
Offrymwn felly ein hamheuon yn ogystal â'n ffydd,
gan gredu y gwnei di ddefnyddio'r cyfan
i'n dwyn yn nes atat ti.

24

ROEDDEM YN LLWGU

Un o'r pum mil a borthwyd gan Iesu

Darllen: Luc 9:10-17

Dychwelodd yr apostolion a dywedasant wrth Iesu yr holl bethau yr oeddent yn eu gwneud. Cymerodd hwy gydag ef ac encilio o'r neilltu i dref a elwir Bethsaida. Ond pan glywodd y tyrfaoedd hyn aethant ar ei ôl. Croesawodd ef hwy, a dechrau llefaru wrthynt am deyrnas Dduw ac iachau'r rhai ag angen gwellhad arnynt.. Yn awr yr oedd y dydd yn dechrau dirwyn i ben, a daeth y Deuddeg ato a dweud, "Gollwng y dyrfa, iddynt fynd i'r pentrefi a'r wlad o amgylch a chael llety a bwyd, oherwydd yr ydym mewn lle unig yma." Meddai ef wrthynt, "Rhowch chwi rywbeth i'w fwyta iddynt." Meddent hwy, "Nid oes gennym ddim ond pum torth a dau bysgodyn, heb inni fynd a phrynu bwyd i'r holl bobl hyn." Yr oeddent ynghylch pum mil o wŷr. Ac meddai ef wrth ei ddisgyblion, "Parwch iddynt eistedd yn gwmnïoedd o ryw hanner cant yr un." Gwnaethant felly, a pheri i bawb eistedd. Cymerodd yntau y pum torth a'r ddau bysgodyn, a chan edrych i fyny i'r nef fe'u bendithiodd, a'u torri a'u rhoi i'w ddisgyblion i'w gosod gerbron y dyrfa. Bwytasant a chafodd pawb ddigon. A chodwyd deuddeg basgedaid o dameidiau o'r hyn oedd dros ben ganddynt.

Myfyrdod

Roeddem yn llwgu,
bron ar ddisgyn,
ein boliau'n gweiddi am fwyd.
Arnom ni roedd y bai wrth gwrs –
dylem fod wedi paratoi'n well.
Doedden ni ddim wedi disgwyl bod ar y llethrau
ond am ryw awr neu ddwy.
Ond daliodd ef ati i siarad,
a ninnau yn ein tro i wrando
gan gymaint ei gyfaredd.

Nid yw hynny'n debyg i mi, gallaf eich sicrhau –
ugain munud ar y gorau, does dim gwahaniaeth pwy sy'n siarad –
ond gallwn fod wedi gwrando ar y dyn yna am byth
a hynny oherwydd fod ei eiriau yn cyffwrdd â'm calon,
yn cynhyrfu fy ysbryd
ac yn ateb fy anghenion dyfnaf.
Cawsom siom pan ddistawodd,
ac fe geisiwyd ei berswadio i ddal ati,
ond gwyddai erbyn hyn fod angen diwallu ein hanghenion corfforol
yn ogystal â'n anghenion ysbrydol.
Yr adeg honno y daethom i sylweddoli
cymaint oedd ein hangen am rywbeth i'w fwyta, a ninnau mor bell o gartref.
Mae'n amheus gennyf a fyddai rhai ohonom wedi llwyddo i gyrraedd
adref heb lewygu gan gymaint ein gwendid yng ngwres tanbaid yr haul.
Yn sydyn trodd at ei ddisgyblion a gorchymyn iddynt ein bwydo.
Dylasech fod wedi gweld eu hwynebau –
yn llawn syndod ac anghrediniaeth.
Ond pan sylweddolwyd nad tynnu coes yr oedd Iesu dyma ddifrifoli.
Ble ar wyneb daear y deuai'r bara.
Roeddem ar lethrau'r mynydd wedi'r cyfan a siop y gornel filltiroedd i ffwrdd!
Roedd hyn, yn amlwg yn achos difyrrwch iddo,
a gofynnodd a oedd gan rywun ychydig o fwyd yn weddill.
Wel, doedd dim llawer am wirfoddoli i ateb y cwestiwn hwnnw yn sicr i chi!
Neb o gwbl os oedd ganddynt ryw gymaint o synnwyr cyffredin.
Hyd yn oed pe byddai ganddynt ychydig friwsion ar waelod y fasged
nid oeddent yn debygol o gyfaddef hynny,
yn arbennig a phum mil o bobl yn rhythu arnynt.
Ond dyma fachgen ifanc yn camu ymlaen,
yn wên o glust i glust,
a chyflwyno pum torth a dau bysgodyn.
Ni chredais ar y pryd y byddai gan Iesu'r galon i'w derbyn,
ond fe wnaeth,
gan ddiolch i Dduw a'u torri,
a gofyn i'w ddisgyblion eu rhannu.
Peidiwch â gofyn beth ddigwyddodd nesaf –

nid yw'n gwneud synnwyr i mi,
ond fe gawsom wledd,
pob un ohonom.
Nid ychydig friwsion ond mwy na digon,
a digon ar ôl i lenwi deuddeg o fasgedi.
Gwyrth medd rhai, ac mae'n debyg eu bod yn gywir,
ond wyddoch chi beth a'm trawodd i,
a beth sy'n cyfrif i mi wrth edrych yn ôl?
Nid y modd y bu iddo fwydo ein cyrff
ond y modd y bwydodd ein heneidiau yn ogystal.
Teimlais newyn corfforol droeon wedi hynny,
ond diwallwyd fy anghenion dyfnaf am byth!

Gweddi

Arglwydd Iesu Grist,
wrth gofio'r rhai a borthaist ar lethrau'r mynydd,
gweddïwn dros y newynog heddiw –
y rhai y mae newyn yn ffaith feunyddiol iddynt.
Yn ein digonedd, cyffwrdd â'n calonnau
i gynorthwyo'r miloedd yn eu prinder.
Cofiwn hefyd ger dy fron y rhai sydd ganddynt fwy na digon yn gorfforol
ond sy'n newynu yn ysbrydol.
Boed iddynt ddarganfod y digonedd hwnnw sydd ynot ti yn unig.

25

EILIAD BYTHGOFIADWY

Pedr

Darllen: Marc 8: 27-33

Aeth Iesu a'i ddisgyblion allan i bentrefi Cesarea Philipi, ac ar y ffordd holodd ei ddisgyblion: "Pwy," meddai wrthynt, "y mae dynion yn dweud ydwyf fi?" Dywedasant hwythau wrtho, "Mae rhai'n dweud Ioan Fedyddiwr, ac eraill Elias, ac eraill drachefn un o'r proffwydi." Gofynnodd ef iddynt, "A chwithau, pwy meddwch chwi ydwyf fi?" Atebodd Pedr ef, "Ti yw'r Meseia." Rybuddiodd hwy i beidio â dweud wrth neb amdano.
Dechreuodd eu dysgu bod yn rhaid i Fab y Dyn ddioddef llawer, a chael ei wrthod gan yr henuriaid a'r prif offeiriaid a'r ysgrifenyddion, a'i ladd, ac ymhen tridiau atgyfodi. Yr oedd yn llefaru'r gair hwn yn gwbl agored. A chymerodd Pedr ef ato a dechrau ei geryddu. Troes yntau , ac wedi edrych ar ei ddisgyblion ceryddodd Pedr. "Dos ymaith o'm golwg, Satan," meddai, "oherwydd nid ar bethau Duw y mae dy fryd ond ar bethau dynion."

Myfyrdod

Eiliad bythgofiadwy oedd honno.
Wedi'r holl ansicrwydd,
yr holl gwestiynau,
yr holl ddryswch,
credais fy mod, o'r diwedd yn gwybod pwy ydoedd.
"Ti yw'r Meseia" meddwn wrtho,
ac edrychodd arnaf gyda'r fath lawenydd
nes peri imi deimlo fod fy nghalon ar ffrwydro.
'Doedd neb arall wedi deall.
Rhyw ddyfalu ac ymbalfalu yn y tywyllwch oedd eu hanes hwy.
Gallai fod yn Elias neu Ioan cyn belled ag y gwyddent hwy.
Roeddwn i'n wahanol, ac yr oedd Iesu'n gwybod hynny.
"Gwyn dy fyd," meddai, "nid cig a gwaed a ddatguddiodd hyn i ti ond

fy Nhad"
Dyna i chi ganmoliaeth!
Ond yna'n sydyn surwyd y cyfan,
a minnau'n credu fod y darnau wedi disgyn i'w lle.
Roedd hynny'n gwbl nodweddiadol ohonof.
Byrbwyll fel arfer!
Ond doeddwn i ddim yn barod i wrando
ar yr holl siarad yna am ddioddefaint a marwolaeth.
Ni fwriadais unrhyw ddrwg i neb ond doeddwn i ddim
yn credu fod yr holl bethau hyn i ddigwydd i Feseia.
Y mae'r dicter a'r siom y ei lygaid yn aros mor fyw yn fy nghof.
"Satan!" meddai wrthyf, ie wir i chi, - Satan!
Fedrwch chi gredu'r fath beth?
Fi, ei gyfaill agosaf,
y gorau o'r criw i gyd, yn fy nhyb i –
Satan!
Doluriwyd fi ar y pryd,
teimlais i'r byw a bod yn berffaith onest,
ond gwelaf erbyn hyn mai ef oedd yn iawn a minnau yn anghywir.
Roedd cymaint i'w ddysgu eto,
cymaint i'w ddeall,
roedd gwir angen y cerydd arnaf .
Pe bawn i wedi cael fy ffordd
byddai'n rhaid iddo wadu'r cwbl a safai drosto.
Ef oedd y Meseia ond nid fel yr oeddwn i wedi disgwyl;
daeth i sefydlu teyrnas,
ond nid yn ôl ein diffiniad ni o deyrnas.
Llwybr gwasanaeth, aberth a hunanymwadu oedd ei eiddo ef,
offrymu ei fywyd dros fywyd y byd.
Gwelaf hynny yn awr a rhyfeddaf at ei gariad,
ond rhyfeddod mwy i mi yw sylweddoli
pan nad oeddwn i yn ei ddeall ef
roedd ef yn gwybod ac yn deall y cwbl amdanaf i.

Gweddi

O! Arglwydd ein Duw,
diolchwn am yr adegau hynny yn ein bywyd

fu'n gerrig milltir nodedig ar bererindod ein ffydd –
adegau a ninnau yn ymwybodol o'th bresenoldeb,
pan gryfhawyd ein ffydd,
pan wawriodd y gwirionedd arnom mewn modd arbennig.
Ond gweddïwn ar i ti ein helpu i sylweddoli
mai megis dechrau yw hanes y daith.
Er cymaint â ddysgwyd gennym,
er cymaint yr atebion sydd yn ein meddiant,
y mae rhagor eto i'w weld,
i'w ddysgu
a'i ddeall.

26

BENDIGEDIG

Ioan

Darllen: Marc 9: 2-3

Ymhen chwe diwrnod dyma Iesu'n cymryd Pedr ac Iago ac Ioan a mynd â hwy i fynydd uchel o'r neilltu ar eu pennau eu hunain. A gweddnewidiwyd ef yn eu gŵydd hwy, ac aeth ei ddillad i ddisgleirio'n glaer-wyn, y modd na allai unrhyw bannwr ar y ddaear eu gwynnu.

Myfyrdod

Bendigedig,
rhyfeddol,
syfrdanol,
profiad unwaith ac am byth,
ac yr oeddwn i'n ddigon ffodus i fod yno –
fi, Pedr a Iago ar y mynydd gyda Iesu.
Gwyddwn fod rhywbeth yn mynd i ddigwydd;
gallem weld hynny yn ei lygaid pan dderbyniasom ei wahoddiad,
ond ni allem fod wedi breuddwydio am yr hyn a gafwyd.
Yr oedd fel pe tai'n newid o flaen ein llygaid,
ei ddillad yn gloywi,
ei wyneb yn disgleirio.
Ac yna – credwch neu beidio –
pwy welsom yn ei gwmni ond Moses ac Elias!
Ie wir, yn sgwrsio â'i gilydd fel hen gyfeillion.
Trawyd ni'n fud am foment,
ond wedyn bwriodd Pedr iddi fel arfer.
"Ga'i ddweud rhywbeth?" gwaeddodd,
"Arhoswch gyda ni"
Pam lai?
Roeddem i gyd wedi'n gwefreiddio,
ac nid oeddem yn dymuno i'r foment hon fynd heibio.
Wedi i Pedr ddistewi, newidiodd yr awyrgylch.

Tywyllodd yr awyr a daeth cwmwl i gysgodi drosom
ac wrth i sŵn taran dorri ar y distawrwydd,
diflannodd Moses ac Elias,
gan adael Iesu ei hunan,
yn edrych mor gyffredin ag erioed.
Ai dychmygu wnaethom?
Ai gweledigaeth ydoedd,
rhywbeth a achoswyd gan y gwres,
yr uchder,
neu ganlyniad un yn ormod cyn cychwyn allan?
Does dim eglurhad rhesymegol.
Eto mae'n ddiddorol fod pawb wedi gweld yr un peth,
i'r manylyn lleiaf.
Does gen i ddim syniad beth ddigwyddodd,
ond ni fynnwn fod wedi ei golli am y byd.
Bu'n gymorth i mi ddeall yr hyn yr oedd Pedr wedi dechrau amgyffred,
mai Iesu oedd y Meseia,
yr ateb i'n gweddïau,
cyflawniad y Gyfraith a'r Proffwydi.
Dim ond cip olwg ydoedd,
un eiliad o weld
eiliad na ellid ei ailadrodd yn fy nhyb i.
Mewn ffordd yr oedd hynny'n wir,
oherwydd ni wêl neb arall fel y gwelsom ni y diwrnod hwnnw.
Ond gwelsom oll ei ogoniant nawr,
nid yn unig y tri ohonom ni,
ond Thomas, Andreas, Mair, Mathew, a llawer mwy –
gogoniant y Tad wedi ei ddatguddio ynddo.
Gwelwn y gogoniant hwnnw yn feunyddiol
yn llawn gras a gogoniant.
Credwch fi, y mae hynny hefyd yn rhyfeddol
syfrdanol
a bythgofiadwy.

Gweddi

Diolchwn i ti, O Arglwydd Iesu,
am i ti ddod yn gnawd,

a cherdded ein daear,
rhannu ein dynoliaeth
ac uniaethu dy hun â phob un ohonom.
Gwared ni, er hynny, rhag credu ein bod yn gwybod
y cyfan sydd i wybod amdanat ti..
Cynorthwya ni i ddiogelu'r ymdeimlad o syndod a rhyfeddod wrth addoli,
a chydnabod ein bod drwot ti
yn cael y fraint o gael cip olwg
ar fawredd a gogoniant Duw.

27

ROEDDWN AM DDAL FY NGAFAEL

Pedr

Darllen: Luc 9. 28-36

Ynghylch wyth diwrnod wedi iddo ddweud hyn, cymerodd Pedr ac Ioan ac Iago gydag ef a mynd i fyny'r mynydd i weddïo. Tra oedd ef yn gweddïo, newidiodd gwedd ei wyneb a disgleiriodd ei wisg yn llachar wyn. A dyma ddau ddyn yn ymddiddan ag ef; Moses ac Elias oeddent, wedi ymddangos mewn gogoniant ac yn siarad am ei ymadawiad, y weithred yr oedd i'w chyflawni yn Jerwsalem. Yr oedd Pedr a'r rhai oedd gydag ef wedi eu llethu gan gwasg; ond deffroesant a gweld ei ogoniant ef, a'r ddau ddyn oedd yn sefyll gydag ef. Wrth i'r rheini ymadael â Iesu dywedodd Pedr wrtho, "Meistr, y mae'n dda i ni fod yma; gwnawn dair pabell, un iti ac un i Moses ac un i Elias." Ni wyddai beth yr oedd yn ei ddweud. Tra oedd yn dweud hyn, daeth cwmwl a chysgodi drostynt, a chydiodd ofn ynddynt wrth iddynt fynd i mewn i'r cwmwl. Yna daeth llais o'r cwmwl yn dweud, "Hwn yw fy Mab, yr Etholedig; gwrandewch arno." Ac wedi i'r llais lefaru cafwyd Iesu wrtho'i hun. A bu'r disgyblion yn ddistaw, heb ddweud wrth neb y pryd hwnnw am yr hyn yr oeddent wedi ei weld.

Myfyrdod

Roeddwn am ddal fy ngafael yn y foment honno am byth,
oherwydd ofnais na allai bywyd fod yr un fath byth wedyn.
Roedd pedwar ohonom,
wel, chwech os cyfrifwch Moses ac Elias,
ond nid wyf yn sïwr y cewch chi wneud hynny –
pedwar ohonom felly yn rhannu eiliad o dangnefedd llwyr;
dim tyrfa yn ymbil am wyrth,
dim gwahangleifion yn deisyf am iachâd,
dim Phariseaid yn udo am waed,
dim Sadwceaid yn chwilio am ddadl.
Dim ond y pedwar ohonom.

A gwyddwn na allai hyn barhau;
gwnaeth hynny'n gwbl glir pan feiddiais awgrymu hynny.
Yr oedd gofid ar y gorwel,
roedd ei elynion yn aros eu cyfle,
a gwyddai y byddent yn llwyddo gyda hyn.
Roedd y rhagolygon yn dywyll, -
gwrthodiad, dioddefaint, marwolaeth.
Sut y daliodd ati nis gwn.
Beth bynnag doedden ni ddim eisiau meddwl am bethau felly,
ac ar gopa'r mynydd roedd pethau felly yn ddigon pell.
Allwch chi fy meio am ddymuno aros,
am ddymuno dal fy ngafael ar y foment honno?
Ysywaeth doedd hynny ddim yn bosibl.
Nid yw'n bosibl stopio'r cloc, a pheri i'r byd sefyll yn yr unfan.
Roedd hi'n anodd derbyn hynny,
a dychwelyd at orchwylion beunyddiol.
Ond wrth siarad gyda Iesu ar y ffordd i lawr o'r mynydd,
sylweddolais nad oedd dewis ond mynd yn ôl.
Byddai profiad y copa yn ofer oni bai am hynny.
Gwyddai ef hynny yn iawn, ac yn raddol fach fe wawriodd arnaf innau.
Roedd yr egwyl honno'n angenrheidiol,
egwyl o atgyfnerthiad,
egwyl a gyfrannodd yr ysbrydoliaeth iddo allu wynebu'r dyfodol a chyflawni ei bwrpas.
A dweud y gwir, roedd yr egwyl honno yn amhrisiadwy i ninnau,
egwyl i edrych yn ôl arni
er mwyn ein galluogi, bob amser i edrych ymlaen.

Gweddi

Arglwydd,
diolch am brofiadau pen y mynydd,
profiadau y mae'n anodd i ni ollwng gafael arnynt.
Dysg i ni gofio, er hynny, fod yn rhaid i ffydd
symud ymlaen os ydyw i dyfu,
datblygu os nad ydyw i heneiddio a gwanhau.
Helpa ni felly, drwy Iesu Grist,
i fod yn agored i brofiadau newydd dy gariad,

a gweledigaethau newydd o'th fawredd,
er mwyn i ni ddod i'th adnabod yn fwy bob dydd o'n hoes.

28

LLAWN SYNDOD

Y Wraig o Samaria

Darllen: Ioan 4:1-7

Pan ddeallodd Iesu fod y Phariseaid wedi clywed ei fod ef yn ennill ac yn bedyddio mwy o ddisgyblion nag Ioan(er nad Iesu, ond ei ddisgyblion fyddai'n bedyddio), gadawodd Jwdea ac aeth yn ôl i Galilea. Ac yr oedd yn rhaid iddo fynd drwy Samaria. Felly daeth i dref yn Samaria o'e enw Sychar, yn agos i'r darn tir a roddodd Jacob i'w fab Joseff. Yno yr oedd ffynnon Jacob, a chan fod Iesu wedi blino ar ôl ei daith eisteddodd i lawr wrth y ffynnon. Yr oedd hi tua hanner dydd. Dyma wraig o Samaria yn dod yno i dynnu dŵr. Meddai Iesu wrthi, "Rho i mi beth i'w yfed."

Myfyrdod

Roeddwn yn llawn syndod
o'r eiliad cyntaf y gwelais i ef.
Credais y byddai yn fy niystyru, fel y gweddill ohonynt
neu gerdded heibio a'i drwyn yn yr awyr.
Cofier mai Iddew ydoedd, a minnau'n Samariad;
a gwaeth na hynny,
merch!
Er hynny, safodd yno yn wen i gyd,
yn ddigon hapus i'm harddel.
Galwch fi'n ddrwgdybus os mynnwch,
ond ni wyddwn beth i'w ddisgwyl nesaf.
Gofynnais iddo ar ei ben, "Beth yw dy gêm di mêt?"
Chwarddodd a chynnig diferyn o ddŵr i mi
neu beth bynnag, dyna a gredais i.
Doedd ganddo ddim bwced, deallwch,
pwy bynnag ydoedd, ni allai ymestyn i waelod y ffynnon.
Felly, o ble roedd y dŵr yma i fod i ddod?
A bod yn onest roeddwn yn credu ei fod yn tynnu fy nghoes,

ond roeddwn yn dechrau cymeryd ato ar waethaf ei ffwlbri gwirion.
Roedd ganddo ryw ffordd arbennig,
caredig,
addfwyn,
hen foi iawn yn ei ffordd fach od ei hun.
Aeth chwilfrydedd yn drech na mi,
a phenderfynais ddal ati gydag ef.
Pe bawn i ond yn gwybod –
fe fyddwn wedi arbed tipyn o embaras i mi fy hun.
Sut ar wyneb daear yr oedd ef yn gwybod?
Syllodd arnaf, ac am y tro cyntaf sylwais ar ei lygaid.
Nid fy nadwisgo fel yr oedd arfer dynion eraill,
ond aeth llygaid hwn yn ddyfnach,
bron na ddywedwn i grombil fy enaid.
A dyma ddechrau cyfeirio at fy nghariadon,
fy ngwŷr,
fy ngorffennol,
a phob manylyn yn gywir.
Yr oedd yn anghyffyrddus,
brawychus,
rhy agos at yr asgwrn.
Ceisiais ei droi ymaith gyda chneuen ddŵr am addoli,
ond eto fe aeth yn gyfyng arnaf;
nid oedd hwn yn taflu'r un hen atebion,
ond aeth yn syth i graidd y broblem.
Wedi hynny daeth y syndod mwyaf, -
dywedodd mai ef oedd y Meseia!
Fedrwn i ddweud dim,
sefais yn geg agored wedi fy syfrdanu.
Roeddwn yn sylweddoli ei fod yn broffwyd,
ond Meseia?
Dim byth!
Dychwelais i'r pentref i geisio rhyw gysur o rywle
mai dim ond cranc crefyddol arall ydoedd.
Ni ddaeth yr un gair o gysur.
Roeddent hwy'n llawn mor chwilfrydig â minnau,
ac yn ysu am gael gweld drostynt eu hunain.
Wedi ei glywed,

a gwrando ar ei neges,
gwyddent mai ef oedd y Meseia.
A minnau? Rwy'n dal heb wybod yn iawn, ac eto synnwn i ddim,
a dweud y gwir ni fyddai dim ynglŷn â Hwn yn fy synnu mwyach.

Gweddi

O! Arglwydd Iesu,
soniwn fyth a beunydd
am dy ddilyn di,
ond pe baem yn onest fe fyddai'n well gennym
dy weld di yn ein dilyn ni.
Cyfyngwn di i'n gorwelion cyfyng ni,
Clymwn di â chadwynau ein rhagfarnau ni.
Arglwydd,
ehanga'n gorwelion,
datod y cadwynau
a chymorth ni i wynebu her dy alwad
drwy roi i ni lygaid i weld a chlustiau i wrando.

29

BU BRON I MI SODRO'R PLANT YNA

Andreas

Darllen Marc 10:13-16

Yr oeddent yn dod â phlant ato, iddo gyffwrdd â hwy. Ceryddodd y disgyblion hwy, ond pan welodd Iesu hyn aeth yn ddig, a dywedodd wrthynt, "Gadewch i'r plant ddod ataf fi; peidiwch â'u rhwystro, oherwydd i rai fel hwy y mae teyrnas Dduw yn perthyn. Yn wir rwy'n dweud wrthych, pwy bynnag nad yw'n derbyn teyrnas Dduw yn null plentyn, nid â byth i mewn iddi." A chymerodd hwy yn ei freichiau a'u bendithio, gan roi ei ddwylo arnynt.

Myfyrdod

Bu bron i mi sodro'r plant yna,
yn rhuthro o gwmpas yn gweiddi ac yn sgrechian
ac yn tarfu ar ein heddwch.
Cawsom Iesu, am unwaith, i ni ein hunain,
cyfle prin i eistedd a gwrando
ac ymgolli ym mhob gair a ddaeth o'i enau.
Munudau hudol a chyfareddol oedd y rheini
hynny yw, hyd nes i'r plant yna ymddangos.
Gwthiodd eu rhieni hwynt ymlaen
er mwyn iddo gyffwrdd â hwynt.
Glywsoch chi beth mor wirion erioed!
Dim byd mwy nag ofergoeliaeth –
dim arlliw o ffydd,
dim ond lol gyfoglyd!
Does bosib eich bod yn gweld bai arnom am geisio eu rhwystro?
Roeddem ni yn dymuno dychwelyd at y drafodaeth,
ac at faterion pwysicach o lawer.
Iawn, hwyrach i ni or- ymateb yn ein dicter a'n siom.
Fyddech chi'n medru canolbwyntio ynghanol y ffair yna?
Fedrwn i ddim.

Oedden nhw'n poeni?
Dim ffiars o beryg!
Naturiol oedd i ni ddisgwyl i Iesu ein cefnogi
a'u hanfon adref.
Ond credwch hyn neu beidio –
yn hytrach na gwylltio wrthynt hwy
gwylltiodd wrthym ni,
ac yr oedd yn wirioneddol ddig wrthym.
"Gadewch lonydd iddynt," meddai. "Gadewch iddynt ddod ataf fi. Beth yw'ch problem chi?"
Doedd dim ateb gan yr un ohonom,
fedrem ni wneud dim ond gwingo gan ergyd ei gerydd.
Doedd hyn ddim yn deg.
Nid oeddem yn meddwl drwg i neb,
ond wir yr oedd hi fel ffair –
y plant yn syllu arnom,
y mamau'n gweiddi arnom,
a'r tadau'n ffraeo ymhlith ei gilydd,
dyna beth oedd llanast!
Doedd gennyf ddim syniad beth i'w wneud nesaf.
Diolch i'r drefn daeth Iesu i'r adwy fel arfer.

Estynnodd ei freichiau a chododd bob plentyn yn eu tro,
a'u cofleidio.
"Mae'r rhain yn arbennig" meddai
"yn fwy gwerthfawr nag a freuddwydioch chi –
mae Duw yn trysori pob un ohonynt"
Ni allai neb wadu ei ddiffuantrwydd,
roedd hi'n amlwg ei fod o ddifrif.
Rwy'n dal i deimlo i ni gael cam y diwrnod hwnnw,
mae hynny'n amlwg i chi erbyn hyn mae'n sïwr.
Ond rwy'n sylweddoli erbyn hyn inni wneud ffyliaid ohonom ein hunain y diwrnod hwnnw,
byddai rhai'n awgrymu i ni fod braidd yn blentynnaidd.
Rwy'n dechrau deall erbyn hyn
fod gan Iesu le i ymddiriedaeth plentyn
ond nid i ymarweddiad plentynnaidd.

Gweddi

Dywedaist Arglwydd,
mai eiddo'r plant yw teyrnas nefoedd.
Rhybuddiaist ni nad etifeddwn y deyrnas honno
oni ymdebygwn iddynt.
Helpa ni i fod megis plant yn ein ffydd,
rho i ni eu diniweidrwydd,
eu hawydd i ddysgu
a'u parodrwydd i ymddiried.
Helpa ni i fentro ar antur y ffydd.

30

BETH Â'N MEDDIANNODD NI

Iago

Darllen: Marc 10: 35-45

Daeth Iago ac Ioan, meibion Sebedeus, ato a dweud wrtho, "Athro, yr ydym am iti wneud i ni y peth a ofynnwn gennyt." Meddai yntau wrthynt, "beth yr ydych am imi ei wneud i chwi?" A dywedasant wrtho, "Dyro i ni gael eistedd, un ar dy law dde ac un ar dy law chwith yn dy ogoniant." Ac meddai Iesu wrthynt, "Ni wyddoch beth yr ydych yn ei ofyn. A allwch chwi yfed y cwpan yr wyf fi yn ei yfed, neu gael eich bedyddio â'r bedydd y bedyddir fi ag ef?" Dywedasant hwythau wrtho, "Gallwn." Ac meddai Iesu wrthynt, "Cewch yfed y cwpan yr wyf fi yn ei yfed, a bedyddir chwi â'r bedydd y bedyddir fi ag ef, ond eistedd ar fy llaw dde neu ar fy llaw chwith, nid gennyf fi y mae'r hawl i'w roi; y mae'n perthyn i'r rhai y mae wedi ei ddarparu ar eu cyfer." Pan glywodd y deg, aethant yn ddig wrth Iago ac Ioan. Galwodd Iesu hwy ato ac meddai wrthynt, " Gwyddoch fod y rhai a ystyrir yn llywodraethwyr ar y Cenhedloedd yn arglwyddiaethu arnynt, a'u gwŷr mawr hwy yn dangos eu hawdurdod drostynt. Ond nid felly y mae yn eich plith chwi; yn hytrach, pwy bynnag sydd am fod yn fawr yn eich plith, rhaid iddo fod yn was i chwi, a phwy bynnag sydd am fod yn flaenaf yn eich plith, rhaid iddo fod yn gaethwas i bawb. Oherwydd Mab y Dyn, yntau, ni ddaeth i gael ei wasanaethu ond i wasanaethu, ac i roi ei einioes yn bridwerth dros lawer."

Myfyrdod

Beth â'n meddiannodd ni mewn difri' calon?
Beth ar wyneb daear oedd ar ein meddyliau ni?
Credwch fi, nid ydym yn arfer ymddwyn fel yna
ac yn ceisio ffafrau neu gydnabyddiaeth arbennig.
Ond y tro hwn aeth pethau'n drech na ni.
Mae'n siŵr mai'r holl sôn am farwolaeth oed y rheswm,
a'i rybuddion am drychineb ar y gorwel.

Felly, pan ddechreuodd sôn am atgyfodiad
a goleuni ar y gorwel
dyma benderfynu mynd amdani.
Wedi'r cyfan yr oeddem wedi cefnu ar lawer i ddilyn Iesu,
ac os oeddem yn mynd i'w gefnogi doed a ddelo,
naturiol oedd i ni ddisgwyl gwobr o ryw fath.
Pan glywodd y gweddill, dyna i chi gynnwrf!
Roedd hi'n uffern ar y ddaear.
Peidiwch â gofyn pwy ddechreuodd, ond dyna lle'r oeddem
yn dadlau ymhlith ein gilydd fel criw o ferched golchi,
pawb yn hawlio'r lle blaenaf,
y mwyaf yn nheyrnas nefoedd.
Roeddem yn ymddwyn fel plant ,
yn gwneud ffyliaid o'n hunain yn y broses –
ond doedden ni'n poeni dim am hynny ar y pryd,
roedd ein hunanbwysigrwydd yn cael y trechaf arnom.
Druan ohonom!
Pan gawsom amser i feddwl, sylweddolwyd pa mor wirion oeddem,
ond yr oedd yn rhy hwyr erbyn hynny,
yr oedd y niwed wedi ei wneud,
nid i ni yn gymaint ond iddo ef,
yr un yr oeddem ni'n honni ei gynrychioli.
"Peidiwch â gadael i'r haul fachlud ar eich digofaint" meddai ef wrthym
a dyna ni yng ngyddfau'n gilydd fel dynion gwyllt.
"Carwch eich gelynion" – dyna ei orchymyn,
ac ni allem garu ein gilydd.
"Trowch y foch arall" –
a dyna ni'n sarhau ein gilydd.
"Na fernwch, fel na'ch barner" –
ac yr oeddem wedi condemnio'n gilydd heb betruso dim.
Yr hyn sydd yn ein brifo yw'r ffaith ein bod wedi ei siomi.
Does dim ots amdanom ni pan ddaw hi i'r pen –
arnom ni oedd y bai i gychwyn.
Ond Iesu?
Ymddiriedodd ynom,
rhoddodd i ni gyfrifoldeb,
ac fe daflwyd y cwbl yn ôl ato.
Pwy sydd yn mynd i wrando arnom ni bellach?

Gallwn siarad faint fynnom am fywyd newydd,
am bobl newydd,
ond gallant weld drostynt eu hunain
nad ydym ni yn wahanol i'r gweddill ohonynt.
Maddeuodd i ni, wrth gwrs –
y mae bob amser yn gwneud hynny.
Anogodd ni i anghofio'r cyfan.
Felly, yr ydym yn ymdrechu,
ymdrechu i fod yn debyg i'r hyn y bwriadodd ef i ni fod,
ymdrechu i fod yn debycach iddo ef.
Does ond gobeithio i ni ddysgu'n gwers,
a gweld ein camgymeriad,
oherwydd mae un peth yn sicr, os na safwn gyda'n gilydd,
os na fyddwn fyw ein pregeth,
fedrwch chi ddim disgwyl i neb arall ein cymryd o ddifrif.
Allwch chi?
Wel, allwch chi?

Gweddi

Arglwydd Iesu,
daethost ar ffurf gwas
buost yn ufudd hyd angau, angau ar groes,
ni chyfrifaist fod cydraddoldeb â Duw
yn rhywbeth i ddal gafael arno.
Maddau i ni ein bod ni mor wahanol,
yn rhoi ein hunain yn gyntaf,
yn llawn hunanbwysigrwydd,
yn cystadlu am sylw
ac yn darostwng eraill er mwyn dyrchafu ein hunain.
Maddau i ni bopeth sydd yn ein gwahanu oddi wrth ein cyd-ddynion,
am bob canolfur a godwyd rhyngom â'n brodyr a chwiorydd yn y ffydd.
Dysg ni i roi eraill yn flaenaf,
i wrando ar farn eraill
ac i werthfawrogi pawb.

31

ROEDD GENNYF GYDYMDEIMLAD Â MARTHA

Mair, chwaer Martha

Darllen: Luc 10. 38-42

Pan oeddent ar daith, aeth Iesu i mewn i bentref, a chroesawyd ef i'w chartref gan wraig o'r enw Martha. Yr oedd ganddi hi chwaer a elwid Mair; eisteddodd hi wrth draed yr Arglwydd a gwrando ar ei air. Ond yr oedd Martha mewn dryswch oherwydd yr holl waith gweini, a daeth ato a dweud, "Arglwydd, a wyt ti heb hidio dim fod fy chwaer wedi fy ngadael i weini ar fy mhen fy hun? Dywed wrthi, felly, am fy nghynorthwyo." Atebodd yr Arglwydd hi, "Martha , Martha, yr wyt yn pryderu ac yn trafferthu am lawer o bethau, ond un peth sy'n angenrheidiol. Y mae Mair wedi dewis y rhan orau, ac nis dygir oddi arni."

Myfyrdod

Roedd gennyf gydymdeimlad â Martha, oedd yn wir;
gwneud ei gorau ydoedd wedi'r cyfan,
Rhaid oedd i rywun ofalu am letygarwch,
paratoi'r swper,
golchi'r llestri,
a chystal i mi gyfaddef doeddwn i'n fawr o help.
Gallwn weld ei bod yn cynhyrfu
ar waetha'r wên gwrtais ar ei hwyneb.
Ddywedodd hi ddim, ond doedd dim angen,
roeddwn yn ei hadnabod yn ddigon da i wybod ei bod wedi gwylltio.
Chware teg iddi wedi'r cyfan.
Fi oedd yn hunanol ond allwn i ddim peidio.
Yr oedd ef mor ddiddorol,
mor hawdd i'w wrando,
mor ddiffuant.
Buaswn yn taeru fod pob gair a lefarodd ar fy nghyfer i,
yn ateb y cwestiynau na feiddiais erioed eu gofyn,

diwallu'r anghenion na wyddwn am eu bodolaeth,
yn rhoi i mi'r pwrpas y dyheais amdano.
Sut allwn i godi i olchi'r llestri?
Sut allwn darfu arno i gynnig diod arall iddo?
Buasai hynny'n gabledd.
Gwyddwn na ddeuai'r cyfle eto efallai,
ac felly gadewais i Martha fynd ymlaen â'r gwaith.
Synnais i ddim pan gwynodd,
ond fe synnais at ymateb Iesu.
Disgwyliais iddo fy ngheryddu
ond i'r gwrthwyneb, canmolodd fi
a'i cheryddu hithau!
Er iddo siarad yn ddistaw a charedig
roedd hi'n amlwg mai cerydd ydoedd
Sut oedd Martha'n teimlo tybed?
Gwn i'r holl beth fod yn dipyn o embaras i mi beth bynnag.
Fi oedd ar fai wedi'r cyfan –
fi barrodd iddi gael ei cheryddu.
Credais yn sïwr y byddai'n gandryll wrthyf wedyn;
Pwy welai fai arni?
Eto yn rhyfedd iawn doedd hi ddim yn flin.
Roedd hi'n ddistaw i gychwyn,
ac yna dywedodd wrthyf am beidio edrych mor euog,
oherwydd yr oedd Iesu'n iawn yn ei thyb hi.
Gorfododd hi i wynebu ei hunan am y tro cyntaf erioed,
a sylweddolai bellach na allai barhau i dwyllo ei hunan.
Ni allai prysurdeb ddim cuddio'r gwacter yn ei bywyd.
Gorfodwyd hi i oedi a gofyn beth oedd ystyr bywyd,
ac yn Iesu dechreuodd gael yr atebion.
Mae'n para i fod yn westeiwraig heb ei hail,
ac fe fydd hi am byth.
A minnau?
Wel, rwy'n llawn mor barod i chwilio am yr hanner cyfle i ddiogi!
Ond mae'r ddwy ohonom wedi newid,
wedi closio,
ac yn fwy bodlon,
oherwydd wedi cyfarfod Iesu sylweddolwn beth sy'n cyfrif mewn gwirionedd,

yr un peth angenrheidiol.

Gweddi

O! Dduw Cariad,
rydym mor brysur â chymaint i'w wneud.
Rhuthrwn o gwmpas heb eiliad i sbario.
Maddau i ni am anghofio'r hyn sy'n angenrheidiol –
rhoi lle yn ein bywyd i ti,
i wrando ar dy lais,
ac i ystyried bywyd o'th safbwynt di.
Dysg i ni ymlonyddu ac i adnabod dy bresenoldeb.

32

PWY GYTHRAUL WYT TI'N MEDDWL WYT TI?

Nicodemus

Darllen: Ioan 8. 48-59

Atebodd yr Iddewon ef, "Onid ydym ni'n iawn wrth ddweud, 'Samariad wyt ti, ac y mae cythraul ynot'?" Atebodd Iesu, "Nid oes cythraul ynof; parchu fy Nhad yr wyf fi, a chwithau yn fy amharchu i. Nid wyf fi'n ceisio fy ngogoniant fy hun, ond y mae un sydd yn ei geisio, ac ef sy'n barnu. Yn wir, yn wir, 'rwy'n dweud wrthych, os bydd dyn yn cadw fy ngair i, ni wêl hwnnw farwolaeth byth." Meddai'r Iddewon wrtho, "Yr ydym yn gwybod yn awr fod cythraul ynot. Bu Abraham farw, a'r proffwydi hefyd, a dyma ti'n dweud, 'Os bydd dyn yn cadw fy ngair i , ni chaiff hwnnw brofi blas marwolaeth byth.' A wyt ti'n fwy na'n tad ni, Abraham? Bu ef farw a bu'r proffwydi farw. Pwy yr wyt ti'n dy gyfrif dy hun?" Atebodd Iesu, "Os fy ngogoneddu fy hun yr wyf fi, nid yw fy ngogoniant yn ddim. Fy Nhad sydd yn fy ngogoneddu, yr un yr ydych chwi'n dweud amdano, 'Ef yw ein Duw ni' Nid ydych chi yn ei adnabod. Ond yr wyf fi'n ei adnabod, ac yr wyf yn cadw ei air ef. Gorfoleddu a wnaeth eich tad Abraham o weld fy nydd i; fe'i gwelodd, a llawenhau." Yna meddai'r Iddewon wrtho, "Nid wyt ti'n hanner cant oed eto. A wyt ti wedi gweld Abraham?" Dywedodd Iesu wrthynt, "Yn wir, yn wir, 'rwy'n dweud wrthych, cyn geni Abraham, yr wyf fi." Yna codasant gerrig i'w taflu ato. Ond aeth Iesu o'u golwg, ac allan o'r deml.

Myfyrdod

'Pwy gythraul wyt ti'n meddwl wyt ti?'
Dyna roeddent yn ei ddweud –
nid mewn cymaint â hynny o eiriau, rwy'n cyfaddef,
ond dyna yn y bôn yr oedden nhw am wybod.
'Beth sy'n rhoi'r hawl i ti frasgamu i mewn i'r fan hyn fel pe taet yn berchen y lle?
Pwy sy'n rhoi awdurdod i ti ddweud y pethau yr wyt ti yn eu dweud?'

O dan fwgwd eu duwioldeb ffals,
gwyddwn yn iawn beth oedd ar eu meddyliau.
'Dyn bach dibwys o Galilea yn tresbasu ar ein tiriogaeth ni'
Nhw oedd yr arbenigwyr, nid ef!
Nhw oedd wedi astudio'r Ysgrythurau, nid ef!
Nhw oedd yn gwybod y Gyfraith, nid ef!
Nhw oedd yn deall gorchmynion Duw, nid ef!
Ni wawriodd arnynt y gallent fod wedi gwneud camgymeriad.
Ni wawriodd arnynt y gallai eu holl ddefodau,
eu holl weddïau,
eu holl grefydd,
fod yn ddim ond cragen wag.
Credwch fi, rwy'n gwybod, dyna oedd fy hanes innau unwaith,
yn credu'n llwyr yn fy nghyfiawnder fy hun, nes i mi ei glywed yn bersonol.
Yna roedd yn rhaid i mi ei weld drachefn, a siarad ag ef wyneb yn wyneb.
Peidiwch â holi pam – gwallgofrwydd mae'n sïwr;
os dônt i wybod fe lladdant fi fel y gwnaethant iddo ef.
Ond gwyddwn fod rhywbeth mwy,
rhywbeth ar goll,
rhywbeth oedd yn rhaid i mi ganfod drosof fy hunan.
Meddai wrthyf,
'Oni chaiff dyn ei eni o'r newydd
ni all weld teyrnas Dduw'
Ymddangosai hynny'n ddiystyr i mi ar y pryd, ac euthum i ffwrdd yn siomedig,
yn ôl i'r tywyllwch.
Ond rwy'n dechrau deall 'nawr.
Gwyliais ef wedi hynny,
yn dysgu,
yn pregethu,
yn iachau,
yn dioddef,
yn marw...
Cyflawnodd y cyfan gydag awdurdod rhyfeddol.
Nid anghofiaf yr olygfa honno,
yr offeiriaid,

athrawon y gyfraith,
fy nghyd Phariseaid,
yn poeri ato,
yn ei daro,
yn ei wawdio,
casineb yn eu llygaid,
celwydd ar eu gwefusau.
Ac mewn cyferbyniad, Iesu, yn sefyll yn dawel ger eu bron,
gyda'r fath urddas.
Dywedodd mai ef oedd Mab Duw, ac fe gredais hynny.
Dywedodd iddo weld y Tad, a'i fod yn llefaru ar ei awdurdod ef,
ac fe gredais hynny.
Dywedodd y byddai'n atgyfodi, a galwch fi'n ffŵl os mynnwch,
ond rwy'n dechrau credu hynny hefyd!
Oherwydd credaf iddo roi bywyd newydd i mi,
rhywbeth gwerth byw er ei fwyn,
yma nawr!

Gweddi

O! Dduw,
yr wyt ti yn ein hadnabod yn well na ni ein hunain,
yr wyt yn chwilio ein calonnau, ein meddyliau a'n heneidiau,
yn ein gweld fel yr ydym, ac yn ein gorfodi ninnau i weld ein hunain.
Maddau i ni am wrthod derbyn unrhyw beth sy'n wahanol i'r ddelwedd
sydd gennym o'n hunain.
Maddau i ni am ein bod yn ei chael hi'n anodd bod yn onest,
ac am gau ein clustiau i wirioneddau nad ydym am eu clywed.
Maddau i ni am ffafrio'r sawl sydd yn ein canmol
yn hytrach na'r sawl sydd yn ein hanesmwytho a'n herio.
Rho i ni'r gwyleidd-dra a bair i ni chwilio ein hunain,
gofyn cwestiynau treiddgar
a dangos parodrwydd i newid lle bo angen.

33

PARODD I MI WELD

Bartimeus

Darllen: Marc 10. 46-52

Daethant i Jericho. Ac fel yr oedd yn mynd allan o Jericho gyda'i ddisgyblion a chryn dyrfa, yr oedd mab Timeus, Bartimeus, cardotyn dall, yn eistedd ar fin y ffordd. A phan glywodd mai Iesu o Nasareth ydoedd, dechreuodd weiddi a dweud, "Iesu, Fab Dafydd, trugarha wrthyf." Ac yr oedd llawer yn ei geryddu ac yn dweud wrtho am dewi; ond yr oedd yntau'n gweiddi'n uwch fyth, "Fab Dafydd, trugarha wrthyf." Safodd Iesu, a dywedodd, "Galwch arno." A dyma hwy'n galw ar y dyn dall a dweud wrtho, "Cod dy galon a saf ar dy draed; y mae'n galw arnat." Taflodd yntau ei fantell oddi arno, llamodd ar ei draed a daeth at Iesu. Cyfarchodd Iesu ef a dweud, "Beth yr wyt ti am i mi ei wneud iti?"
Ac meddai'r dyn dall wrtho, "Rabbwni, y mae arnaf eisiau cael fy ngolwg yn ôl." Dywedodd Iesu wrtho, "Dos y mae dy ffydd wedi dy iachau di." A chafodd ei olwg yn ôl yn y fan, a dechreuodd ei ganlyn ef ar hyd y ffordd.

Myfyrdod

Parodd i mi weld!
Am y tro cyntaf erioed,
wedi'r holl flynyddoedd o dywyllwch,
yr holl flynyddoedd o wrando a meddwl sut le oedd y byd,
yr oeddwn yn medru edrych a gweld drosof fy hun!
Gwelais gymylau'n gwibio,
blodau'n harddu'r meysydd,
tonnau'n torri ar y traeth.
Gwelais adar yn nythu yn y coed,
y lleuad a'r sêr yn goleuo oriau'r nos,
gogoniant y wawr a'r machlud.
Gwelais blant yn chwarae,

wynebau anwyliaid,
bwrlwm y trefi a'r ddinas,
rhwysg yr offeiriaid yn y deml.
Gwelais feysydd ŷd a ffrwythau'n aeddfedu,
nentydd rhedegog a llynnoedd tawel,
byd o liw a chyferbyniadau,
yn harddach nag a freuddwydiais erioed.
Hyn i gyd, oherwydd Iesu.
Ond nid agor fy llygaid yn unig a wnaeth,
ond fy meddwl,
fy nghalon,
fy enaid.
Edrychais arno,
ac nid yn unig dyn a welais;
Cefais gip olwg ar Dduw.
Yng ngwên ei wyneb
gwelais law Duw.
Yn ei gyffyrddiad
gwelais gariad Duw
Parodd Iesu i mi weld,
nid yn unig â'm llygaid, er na allaf ddiolch digon am hynny,
ond gyda f'enaid –
y pethau sydd o bwys,
y pethau sy'n cyfrif,
sy'n diwallu fy anghenion dyfnaf.
Ac yn awr hyd yn oed yn y tywyllwch,
pan fo bywyd fel y fagddu,
pan na allaf weld y ffordd ymlaen,
rwy'n cerdded yn y goleuni.

Gweddi

Diolchwn i ti, O! Dduw
am ryfeddodau'r cread –
yr harddwch a'r amrywiaeth a welwn bob dydd.
Erfyniwn dy faddeuant am i ni yn rhy aml weld yr arwynebol
yn hytrach na'r gwirionedd dyfnaf.
Wrth edrych, helpa ni i weld dy law
ac adnabod dy gariad ar waith..

34

AM EI WELD ROEDDWN I

Sacheus

Darllen Luc 19: 1- 4

Yr oedd wedi dod i mewn i Jericho, ac yn mynd trwy'r dref. Dyma ddyn o'r enw Sacheus, un oedd yn brif gasglwr trethi ac yn ŵr cyfoethog, yn ceisio gweld prun oedd Iesu; ond yr oedd yno ormod o dyrfa, ac yntau'n ddyn byr. Rhedodd ymlaen a dringo sycamorwydden er mwyn gweld Iesu, oherwydd yr oedd ar fynd heibio y ffordd honno. Pan ddaeth Iesu at y fan, edrychodd i fyny a dweud wrtho, "Sacheus, tyrd i lawr ar dy union; y mae'n rhaid imi aros yn dy dŷ di heddiw." daeth ef i lawr ar ei union a'i groesawu yn llawen. Pan welsant hyn, dechreuodd pawb rwgnach ymhlith ei gilydd gan ddweud, "Y mae wedi mynd i letya at ddyn pechadurus." Ond safodd Sacheus yno, ac meddai wrth yr Arglwydd, "Dyma hanner fy eiddo, syr, yn rhodd i'r tlodion; os mynnais arian ar gam gan neb, fe'i talaf yn ôl bedair gwaith." "Heddiw," meddai Iesu wrtho, daeth iachawdwriaeth i'r tŷ hwn, oherwydd mab i Abraham yw'r gŵr hwn yntau, daeth Mab y Dyn i geisio ac i achub y colledig."

Myfyrdod

Am ei weld oeddwn i, dyna'i gyd,
a chanfod ystyr yr holl ffwdan.
Nid oedd gennyf fwriad i glymu fy hun.
Dyna'r peth olaf a ddymunais, a'r peth olaf a ddisgwyliais.
Gallwch ddeall fy chwilfrydedd rwy'n sïwr?
Clywais gymaint amdano –
y gŵr a allai gyflawni gwyrthiau, maddau pechodau, herio bywydau.
Ef oedd testun yr holl siarad;
yr oedd pawb am ei weld, pawb.
Ond dyna'r drafferth,
roedd y strydoedd yn llawn,
a sylweddolais nad oedd gennyf siawns o fynd yn agos,

Yr un hen stori: Sacheus druan,
gwrthrych cymaint o wawd dros y blynyddoedd,
ac unwaith eto yn colli'r gystadleuaeth.
Roeddwn wedi cynefino a chaledu i'r peth,
ond yn rhyfedd iawn yr oedd yn brifo y tro hwn;
colli'r cyfle i brofi ychydig o liw yng nghanol undonedd fy mywyd –
a'r cyfan oherwydd i Dduw fod yn grintach gyda'r modfeddi.
Yr oedd mor annheg,
yr hoelen olaf yn yr arch,
a theimlais fel codi dwrn tua'r nef i felltithio fy nghreawdwr.
Ond dyma fflach o ysbrydoliaeth.
Pam wna wnei di ddringo coeden, meddyliais?
Syniad gwych!
Yno o danaf y gwelais ef yn glir.
Dyma fyddai f'ymffrost mwyach;
dyma fydd yn gorfodi pobl i edrych i fyny ataf am unwaith –
Roeddwn wedi gweld Iesu.
Sylwodd arnaf,
nid oeddwn wedi disgwyl hynny.
Disgwyliais iddo gerdded heibio.
Ond fe oedodd, gwenodd a siaradodd â mi.
Fe'm syfrdanwyd,
ac ni allwn sylweddoli'r hyn a ddywedai am ysbaid,
Ond pan wawriodd arnaf ni allwn gredu'r peth.
Yr oedd yn dymuno ymweld â'm cartref,
rhannu pryd o fwyd gyda mi, Sacheus!
Er ei fod braidd yn haerllug yn ei wahodd ei hun i'm cartref,
ni allwn wrthod, a'r holl dyrfa yn gwylio.
Doedden nhw ddim yn hapus iawn chwaith,
ystyrient fi'n dipyn o dwyllwr,
a chystal cyfaddef yr oeddent yn iawn.
Ond dyma fy nghyfle i ddangos
bod ochr arall i'm cymeriad,
ac felly prysurais i'w groesawu.
Cyn i mi sylweddoli beth oedd yn digwydd,
yr oedd fy nghalon yn rheoli fy mhen,
talu'n ôl bedair gwaith i'r sawl a dwyllais,
rhoi hanner fy eiddo i'r tlodion.

Munud o wallgofrwydd?
Hwyrach, ond dyna'r effaith a gai Iesu arnoch.
Gorfodai chi i fod yn wahanol, i fod yn debyg iddo ef.
Rwyf wedi difaru fy myrbwylledd droeon,
ni allaf wadu hynny.
Ond ni fynnwn newid dim,
er fy mod yn dlotach yn faterol
rwy'n gyfoethocach nag a freuddwydiais erioed.

Gweddi

Arglwydd,
honnwn ein bod am dy adnabod di yn well,
ond cydnabyddwn ein cyndynrwydd i'th geisio.
Hoffwn gredu ein bod yn ddisgyblion i ti ond safwn o hirbell.
Soniwn am ymgysegriad, ond rydym yn fwy na pharod i ddal yn ôl.
Rydym yn barod i roi, ond nid rhoi gormod.
Ac eto yr wyt ti'n gofyn i ni dy garu
gyda'n holl galon, enaid a meddwl.
Tyr drwy'n cyndynrwydd
a chynorthwya ni i gyfarfod Iesu
yr hwn o ofyn y cyfan gennym, sy'n rhoi llawer mwy i ni'n gyfnewid.

35

ROEDD Y PETH YN AFREAL

Lasarus

Darllen: Ioan 11: 32-34

A phan ddaeth Mair i'r fan lle'r oedd Iesu, a'i weld, syrthiodd wrth ei draed ac meddai wrtho, "Pe buasit ti yma, syr, ni buasai fy mrawd wedi marw." Wrth ei gweld hi'n wylo, a'r Iddewon oedd wedi dod gyda hi hwythau'n wylo, cynhyrfwyd ysbryd Iesu gan deimlad dwys. Ble'r ydych wedi ei roi i orwedd?" gofynnodd. "Tyrd i weld, syr" meddent wrtho. Torrodd Iesu i wylo. Yna dywedodd yr Iddewon, "Gwelwch gymaint yr oedd yn ei garu ef." Ond dywedodd rhai ohonynt, "Oni allai hwn, a agorodd lygaid y dall, gadw'r dyn yma hefyd rhag marw?" Dan deimlad dwys drachefn, daeth Iesu at y bedd. Ogof ydoedd, a maen yn gorwedd ar ei thraws. "Symudwch y maen," meddai Iesu. A dyma Martha, chwaer y dyn oedd wedi marw, yn dweud wrtho, "Erbyn hyn, syr, y mae'n drewi; y mae yma ers pedwar diwrnod." "Oni ddywedais wrthyt," meddai Iesu wrthi, "y cait weld gogoniant Duw, dim ond iti gredu?" felly symudasant y maen. A chododd Iesu ei lygaid i fyny a dweud, "O Dad, 'rwy'n diolch i ti am wrando arnaf. Roeddwn i'n gwybod dy fod bob amser yn gwrando arnaf, ond dywedais hyn o achos y dyrfa sy'n sefyll o gwmpas, er mwyn iddynt gredu mai tydi a'm hanfonodd." Ac wedi dweud hyn, gwaeddodd â llais uchel, "Lasarus, tyrd allan." Daeth y dyn fu farw allan, a'i draed a'i ddwylo wedi eu rhwymo â llieiniau, a chadach am ei wyneb. Dywedodd Iesu wrthynt, "Datodwch ei rwymau, a gadewch iddo fynd."

Myfyrdod

Roedd y peth yn annaearol
mor afreal,
neu felly y teimlais i.
Ond eto fe ddigwyddodd!
Roeddwn wedi anadlu fy anadl olaf, doedd dim cwestiwn am hynny.
Wedi'r holl ddyddiau tywyll o afiechyd,

y boen yn dwysau
y nerth yn pallu;
wedi'r oriau olaf dychrynllyd,
y chwys yn rhedeg lawr fy ngruddiau
a'r ysgyfaint yn brwydro am wynt;
o'r diwedd daeth distawrwydd,
caeodd y tywyllwch amdanaf
a chroesawyd yr hyn a ofnwyd ers amser.
Terfyn ar yr ymdrech,
y frwydr bron ar ben.
Am eiliad plentyn oeddwn eto yn cael ei gofleidio gan ei fam,
gŵr ifanc yn rhedeg mor wyllt a'r gwynt,
gŵr yn cychwyn allan ar antur fawr bywyd,
tad, yn cymryd fy mhlentyn yn fy mreichiau.
Ac yna gorffwys,
diffoddodd y fflam,
cwblhawyd y gêm.
Ond yn sydyn dyma lais yn fy ngalw'n ôl i'r frwydr,
torrodd yr haul i mewn i'r bedd
deuthum yn ymwybodol.
Pa ryfedd iddynt ebychu,
pa ryfedd iddynt lewygu,
pa ryfedd iddynt wylo o orfoledd,
oherwydd wele fi a ddygwyd oddi wrthynt,
fi a fu farw
yn fyw!
A do, wrth gwrs, wedi i'r cyffro dawelu,
diolchais iddo.
Ond o bryd i'w gilydd holaf fy hun
a wnaeth ef gymwynas â mi y diwrnod hwnnw?
Oherwydd gwn y bydd yn rhaid wynebu'r cyfan eto.
Eto, bydd yn wahanol y tro nesaf,
gwahanol iawn,
nid am i mi fod yno o'r blaen a gwybod nad oes dim i'w ofni,
ond am fod Iesu wedi dangos i mi
mai nid y diwedd yw marw ond y dechrau.
Dyna paham y cododd fi o'r bedd.
Nid i adfer bywyd yn unig,

nid i ohirio marwolaeth,
ond i gyfeirio at eni newydd,
atgyfodiad na allai neb ond ef ei ddwyn.
Daeth ef yn ôl hefyd,
yn ôl o du draw'r bedd.
Tri diwrnod yn y bedd,
digon hir i'r corff bydru,
ond ymddangosodd i Mair,
i Pedr,
i'r Apostolion,
i bawb ohonom.
A gwyddom er i ni farw
fe fyddwn fyw
am ei fod ef yn fyw!

Gweddi

Arglwydd Iesu Grist,
daethost i roi bywyd yn ei holl gyflawnder;
i gynnig gobaith tu hwnt i'r bedd.
Dysg i ni mai nid y diwedd yw angau, ond dechreuad newydd –
porth i fywyd tragwyddol.
Boed i'r hyder hwnnw lywio ein hagwedd o fywyd
yn ogystal â marwolaeth.
Boed i ni fyw o ddydd i ddydd nid yn unig yng nghyd-destun y byd a'r bywyd hwn
ond yng nghyd-destun tragwyddoldeb,
gan wybod na all dim
ein gwahanu ni oddi wrth dy gariad di.

YR WYTHNOS FAWR

36

DIWRNOD I'W GOFIO!

Seimon y Selot

Darllen: Luc 19:29-40

Pan gyrhaeddodd yn agos i Bethfage a Bethania, ger y mynydd a elwir Olewydd, anfonodd ddau o'i ddisgyblion gan ddweud, "ewch i'r pentref gyferbyn. Wrth ichwi ddod i mewn iddo cewch yno ebol wedi ei rwymo, un nad oes neb wedi bod ar ei gefn erioed. Gollyngwch ef a dewch ag ef yma. Ac os bydd rhywun yn gofyn i chwi, 'Pam yr ydych yn ei ollwng?' dywedwch fel hyn: 'Y mae ar y meistr ei angen'" Aeth y rhai a anfonwyd, a chael yr ebol, fel yr oedd wedi dweud wrthynt. Pan oeddent yn gollwng yr ebol, meddai ei berchnogion wrthynt, " pam yr ydych yn gollwng yr ebol?" Atebasant hwythau, "Y mae ar y Meistr ei angen", a daethant ag ef at Iesu. Yna taflasant eu mentyll ar yr ebol, a gosod Iesu ar ei gefn. Wrth iddo fynd yn ei flaen, yr oedd pobl yn taenu eu mentyll ar y ffordd.
Pan oedd yn nesau at y ffordd sy'n disgyn o Fynydd yr Olewydd, dechreuodd holl dyrfa ei ddisgyblion yn eu llawenydd foli Duw â llais uchel am yr holl wyrthiau yr oeddent wedi eu gweld, gan ddweud: bendigedig yw'r un sy'n dod yn frenin yn enw'r Arglwydd; yn y nef, tangnefedd, a gogoniant yn y goruchaf." Ac meddai rhai o'r Phariseaid wrtho o'r dyrfa, "Athro, cerydda dy ddisgyblion." Atebodd yntau, "'Rwy'n dweud wrthych, os bydd y rhain yn tewi, bydd y cerrig yn gweiddi."

Myfyrdod

Diwrnod i'w gofio,
diwrnod bythgofiadwy –
lleisiau llawen,
breichiau croesawgar
y tyrfaoedd yn llenwi'r strydoedd i dderbyn y Brenin,
Mab Dafydd, yr un a ddaeth yn enw'r Arglwydd.
Credodd y dyrfa fod y Meseia wedi cyrraedd i'w rhyddhau.

Roeddem ninnau'n credu hynny hefyd.
Wedi'r holl siarad am ddioddef a marw fe feiddiwyd gobeithio'r gorau,
ac am funud wrth ei wylio tybiais fod Iesu'n gwneud hynny hefyd.
Gwelsom y modd yr ymatebodd i gymeradwyaeth y dorf,
roedd gwen ar ei wyneb,
disgleiriodd ei lygaid.
Yr oedd wrth ei fodd, rwy'n sicr o hynny,
yn benderfynol o fwynhau pob munud.
Ond wrth agosáu at Jerwsalem,
sylwais ar ddeigryn annisgwyl yng nghornel ei lygaid.
Nid deigryn o lawenydd ond deigryn o dristwch,
tystiolaeth dawel o'i wewyr a'i boen.
Ni thwyllwyd ef
fel y twyllwyd ni.
Gwyddai wir ddymuniad y dorf,
a sut y byddai'r gri yn sicr o newid.
Gwyddai y cawsai groes pe gwrthodai eu coron,
ond daliodd ati, yn benderfynol hyd y diwedd;
Diwrnod i'w gofio,
diwrnod y croesawyd eu brenin.
Ond ni ddychmygodd neb,
mai drain fyddai deunydd y goron
ac y deuai gorsedd wedi goddef croes.

Gweddi

Arglwydd Iesu,
cofiwn dy ymdaith i Jerwsalem
a dygwn i gof y llawenydd a'r dathlu.
Ond cofiwn hefyd y modd y diflannodd y croeso,
mor sydyn y newidiodd y dorf.
O! Arglwydd,
gwyddom mai tebyg iddynt ydym ninnau –
pa mor fyr hoedlog yw ein hymroddiad,
mor arwynebol,
mor hunanol.
Helpa ni i'th groesawu gyda llawenydd i'n bywydau,
a dyfalbarhau i'th wasanaethu doed a ddelo.

37

PAM DIFETHA'R CWBL?

Iago

Darllen: Luc 19:45-48

Aeth i mewn i'r deml a dechreuodd fwrw allan y rhai oedd yn gwerthu, gan ddweud wrthynt, "Y mae'n ysgrifenedig: 'A bydd fy nhŷ i yn dŷ gweddi, ond gwnaethoch chwi ef yn ogof lladron.'" Yr oedd yn dysgu o ddydd i ddydd yn y deml. Yr oedd y prif offeiriaid a'r ysgrifenyddion, ynghyd â gwŷr blaenaf y bobl, yn ceisio modd i'w ladd, ond heb daro ar ffordd i wneud hynny, oherwydd fod yr holl bobl yn gwrando arno ac yn dal ar ei eiriau.

Myfyrdod

Pam difetha'r cyfan?
Dyna hoffwn i wybod.
Roedd pethau'n mynd mor dda,
tu hwnt i bob disgwyliad,
ac yna bu'n rhaid iddo ef ddifetha'r cyfan.
Iawn, mae'n debyg fod rhaid gwneud rhywbeth,
hwyrach eu bod yn camddefnyddio'r deml,
yn gwawdio diben y lle,
ond pam na allai fod yn fwy gofalus,
yn fwy cymodlon
yn fwy diplomyddol?
Dim ond gair bach yng nghlust rhywun oedd angen.
Ond hyn –
troi'r byrddau yn ei ddicter,
cynhyrfu'r da byw,
chwifio'i freichiau mewn tymer;
roedd yn gofyn amdani,
roedd yn sicr o greu gelynion,
a gadewch i ni fod yn onest
ni wnaeth hyn fymryn o les i'w ddelwedd.

Nid oedd yn ddim gwell na therfysgwr iddynt wedi hynny,
a phwy mewn difri' calon alla'u beisio?
Pam na fyddai wedi gadel llonydd i bethau?
Buont yn gefnogol iddo,
yn barod i wneud beth bynnag a fynnai,
dawnsio yn y strydoedd,
chwifio canghennau'r palmwydd i'w groesawu.
Pam, pam, fu'n rhaid iddo wneud pethau'n haws i'w elynion.
Pam ennyn gelyniaeth?
Pam gwrthod cyfaddawdu?
Rwy'n gwneud fy ngorau i geisio deall, ydw wir,
ond rwy'n ei chael hi'n anodd.
Ar waethaf fy argyhoeddiadau
fe fyddwn i wedi gwneud pethau'n haws i mi fy hun,
tawelu'r dyfroedd,
osgoi gwrthdaro,
seboni'r awdurdodau.
Dyna paham mai fi sy'n fyw heddiw ac nid ef.
Sylweddolaf, er hynny, nad oedd ganddo ddewis,
os oedd am gadw'n driw iddo'i hun.
A rhaid cyfaddef ei fod y gwneud hynny bob amser
Dyna a'i gwnaeth mor unigryw,
dyna paham y dilynais ef,
dyna paham rwy'n parhau i'w ddilyn.

Gweddi

O! Arglwydd,
carem fod yn ffyddlon i'n hargyhoeddiadau,
a sefyll dros y gwir,
ond y mae hynny'n anodd.
Mae'n anodd peidio plygu pan fo pawb o'n cwmpas yn anghytuno,
mae'n anodd peidio cyfaddawdu er mwyn heddwch,
mae'n anodd dal ati yn anterth y frwydr.
Eto, y mae adegau pan fo rhaid sefyll
dros yr hyn a gredwn,
hyd yn oed pan fo hynny yn ein gwneud yn amhoblogaidd.
Rho ddoethineb i ni wybod pa bryd i sefyll,
a rho nerth i ni ddal ati doed a ddelo.

38

DAETHOM YNGHYD I DDATHLU'R PASG

Mathew

Darllen: Mathew 26: 17-21

Ar ddydd cyntaf gŵyl y Bara Croyw daeth y disgyblion at Iesu a gofyn, "Ble yr wyt ti am inni baratoi i ti fwyta gwledd y Pasg?" Dywedodd yntau, "ewch i'r ddinas at ddyn arbennig a dywedwch wrtho, 'Y mae'r Athro'n dweud. "Y mae fy amser i'n agos; yn dy dŷ di yr wyf am gadw'r Pasg gyda'm disgyblion." A gwnaeth y disgyblion fel y gorchmynnodd Iesu iddynt, a pharatoesant wledd y Pasg. Gyda'r nos yr oedd wrth y bwrdd gyda'r deuddeg. Ac fel yr oeddent yn bwyta, dywedodd Iesu, "Yn wir, rwy'n dweud wrthych y bydd i un ohonoch fy mradychu i."

Myfyrdod

Aethom yno i ddathlu'r Pasg,
y deuddeg ohonom a Iesu ynghyd yn yr oruwch ystafell.
A does gen i ddim ofn cyfaddef
fod ein calonnau'n curo fel drwm
a'n dychymyg yn mynd yn drech na ni.
Y Pasg!
Fe wyddoch arwyddocâd hynny does bosib?
Cofio Duw yn gwaredu ei bobl,
yn eu rhyddhau o'u caethiwed,
agor y ffordd i fywyd newydd a gwahanol.
Wel, beth oeddem i'w ddisgwyl.
O! ydi mae'n hawdd nawr, edrych yn ôl,a sylweddoli i ni wneud camgymeriad,
ond ar y pryd ymddangosai i bawb ohonom,
pawb ond Jwdas beth bynnag,
mai dyma'r awr,
dyma'r awr y buom yn disgwyl amdani,
yr awr y byddai Iesu yn troi'r byrddau ar ei elynion,

yr awr y dangosai i ni mai ef oedd wrth y llyw wedi'r cyfan.
Ond, wrth i ni gyd-fwyta,
a chael mwy o fwynhad na chawsom ers hydoedd,
fe safai,
yn dawel,
yn ddifrifol,
a gallem weld yn ôl yr olwg ar ei wyneb
fod ganddo feddyliau gwahanol i ni.
Cymerodd y bara,
ei godi'n uchel,
a'i dorri-
digon i bawb ohonom –
'Cymerwch bwytewch; hwn yw fy nghorff'
A chyn i ni gael cyfle i ddadlau;
cyfle hyd yn oed i sylweddoli yr hyn a ddywedodd,
yr oedd yn dal y cwpan i fyny –
Yfwch ohono, bawb, oherwydd hwn yw fy ngwaed i, gwaed y cyfamod,
a dywelltir dros lawer er maddeuant pechodau'
Roddem wedi'n syfrdanu.
Iawn, gwyddem iddo siarad am farwolaeth o'r blaen,
yn aml,
rhy aml,
ond ni wnaethom gredu dim ar y pryd.
Mae'n debyg i ni gredu ei fod yn gorliwio pethau,
tynnu darlun tywyll i'n cadw ar flaenau'n traed.
Ond dyma fe, os oeddem wedi ei glywed yn iawn, yn cynnig ei feddargraff ei hun,
yn ffarwelio am y tro olaf,
yn ein paratoi ar gyfer y diwedd.
Ac mewn un ffordd dyna a wnaeth;
roedd hi'n ddiwedd pennod,
tudalen ola'r llyfr.
Eto doedd pethau ddim ar ben,
ac yn sicr nid hyn oedd diwedd y stori;
megis dechrau ydoedd,
ac yr oeddem ninnau, yn rhyfedd iawn yn rhan o'r cwbl –
ei gorff yma ar y ddaear,
dilyniant i'r hyn a ddechreuwyd ganddo!

Wel, fe wnaethom fel y gofynnwyd i ni,
wythnos ar ôl wythnos,
blwyddyn ar ôl blwyddyn,
torri bara a rhannu gwin,
gan atgoffa'n gilydd pwy ydoedd a phwy ydym,
o'r hyn a wnaeth ac o'r hyn sydd gennym ninnau i'w wneud;
ac fe barhawn i rannu'r swper,
yn hapus,
yn wylaidd,
yn hyderus,
hyd nes y daw.

Gweddi

Arglwydd Iesu,
torraist fara, rhennaist win
ag un y gwyddet y byddai'n dy fradychu,
ag un y gwyddet y byddai'n dy wadu,
a'r sawl y gwyddet y byddent yn dy adael i'th dynged.
Drwy'r cyfan buost yn ffyddlon,
a rhoddaist dy fywyd heb ddisgwyl dim yn ôl.
O Arglwydd,
yr wyt yn ein gwahodd ninnau i dorri bara a rhannu gwin,
er i ni dy fradychu,
er i ni dy wadu,

er i ni gefnu arnat droeon.
Mawr yw dy ffyddlondeb,
a gwyddom mai trosom ni y bu'r cyfan!
Arglwydd,
moliannwn di a diolchwn o waelod ein calonnau.

39

YR OEDDEM YNO YN YR ORUWCH YSTAFELL

Ioan

Darllen: Ioan 17:1, 6-17

Wedi iddo lefaru'r geiriau hyn, cododd Iesu ei lygaid i'r nef a dywedodd: "O Dad, y mae'r awr wedi dod. Gogonedda dy Fab, er mwyn i'r Mab dy ogoneddu di.....Yr wyf wedi amlygu dy enw i'r dynion a roddaist imi allan o'r byd. Eiddot ti oeddent, ac fe'u rhoddaist i mi. Y maent wedi cadw dy air di. Y maent yn gwybod yn awr mai oddi wrthyt ti y mae popeth a roddaist i mi. Oherwydd yr wyf wedi rhoi iddynt hwy y geiriau a roddaist ti i mi, a hwythau wedi eu derbyn, a chanfod mewn gwirionedd mai oddi wrthyt ti y deuthum, a chredu mai ti a'm hanfonodd i. Drostynt hwy yr wyf fi yn gweddïo. Nid dros y byd yr wyf fi yn gweddïo, ond dros y rhai a roddaist imi, oherwydd eiddot ti ydynt. Y mae popeth sy'n eiddof fi yn eiddot ti, a'r eiddot ti yn eiddof fi. Ac yr wyf fi wedi fy ngogoneddu ynddynt hwy. Nid wyf fi mwyach yn y byd, ond y maent hwy yn y byd. Yr wyf fi'n dod atat ti. O Dad sanctaidd, cadw hwy'n ddiogel trwy dy enw, yr enw a roddaist i mi, er mwyn iddynt fod yn un fel yr ydym ni yn un. Pan oeddwn gyda hwy, yr oeddwn i'n eu cadw yn ddiogel trwy dy enw, yr enw a roddaist i mi. Gwyliais drostynt, ac ni chollwyd yr un ohonynt, ar wahân i fab colledigaeth, i'r Ysgrythur gael ei chyflawni.. Ond yn awr yr wyf yn dod atat ti, ac yr wyf y llefaru'r geiriau hyn yn y byd er mwyn i'm llawenydd i fod ganddynt yn gyflawn ynddynt hwy eu hunain. Yr wyf fi wedi rhoi iddynt dy air di, ac y mae'r byd wedi eu casáu hwy, am nad ydynt yn perthyn i'r byd, fel nad wyf finnau'n perthyn i'r byd. Nid wyf yn gweddïo ar i ti eu cymryd allan o'r byd, ond ar i ti eu cadw'n ddiogel rhag yr Un drwg. Nid ydynt yn perthyn i'r byd, fel nad wyf finnau'n perthyn i'r byd. Cysegra hwy yn y gwirionedd . Dy air di yw'r gwirionedd.

Myfyrdod

Yr oeddem yno yn yr oruwch-ystafell,

dim ond Iesu a ninnau,
y nos yn cau amdanom,
a'r diwedd yn agosáu.
Fe wyddem ni
ac fe wyddai yntau.
Doedd dim amheuaeth bellach, gan yr un ohonom;
dim gobaith am ymwared yr unfed awr ar ddeg.
Gwelsom Jwdas yn sleifio allan a thywyllwch yn ei lygaid,
a gwyddem na allai fod yn hir cyn i'r fwlturiaid ddisgyn,
yn awchu am eu hysglyfaeth.
Roeddem ni am iddo ddianc;
yn ôl i Nasareth,
yn ôl i Galilea,
yn ôl i ddiogelwch yr anialwch,
unrhyw le ond Jerwsalem.
Ond ni wrandawai wrth gwrs,
dim hyd yn oed ystyried.
Felly, fe arhosom ni gydag ef,
yn nerfus,
yn ofnus,
un llygad dros yr ysgwydd, ond yn benderfynol i wneud ein gorau drosto.
Nid oedd yn twyllo ei hunan;
gwyddai beth oedd ar ddigwydd –
marwolaeth hyll a phoenus.
Ac yr oedd hyn i gyd yn cael effaith arno,
roedd hynny'n amlwg i ni i gyd.
Crynodd wrth dorri bara,
yn arswydo wrth feddwl am yr hyn oedd i ddod;
ac wrth rannu'r gwin yr oedd cryndod yn ei lais,
a deigryn yn ei lygad.
Ac eto fe lefarodd,
yn dawel,
yn dyner,
a sylweddolwyd mai gweddïo ydoedd
nid drosto ef ei hun,
ond drosom ni!
Nid dros ei fywyd ei hun,

ond dros fywyd y byd!
Mae'n anodd credu rwy'n gwybod, ond y mae'n wir.
Cofiwch yr oeddwn i yno;
Fe'i clywais.
Nid ei farwolaeth a'i poenai,
ond yr ofn na fyddem yn aros gyda'n gilydd,
y byddai i ni gael ein rhannu,
hyd yn oed yn ymladd ymhlith ein gilydd.
Duw a ŵyr pam y croesodd hynny ei feddwl,
ond gallech weld y pryder yn ei wyneb,
a chymaint y golygodd undod iddo.
Dyna un o'i ddymuniadau olaf mewn gwirionedd,
y byddai i ni barhau yn un;
un pobl,
un ffydd,
un Duw.
Rwy'n sïwr na ddylai fod wedi poeni, yn arbennig ar amser fel yna.
Iawn, efallai i ni gael ein gwahaniaethau –
nid ydym bob amser yn cytuno,
ond ni allaf weld unrhyw beth tyngedfennol yn dod rhyngom, allwch chi?
Wedi'r cyfan disgyblion ydym, pob un ohonom.
Pob un ohonom wedi'n galw ganddo ef,
yn cyffesu'r un Arglwydd,
a beth sy'n bwysicach na hynny meddech chi?

Gweddi

Arglwydd Iesu Grist,
torrwyd dy gorff drosom ni.
Dioddefaist boenau'r groes er mwyn ein cymodi â Duw,
i ddymchwel y gwahanfuriau sydd yn ein rhannu,
er mwyn ein gwneud yn un.
Maddau i ni am i ni godi muriau newydd,
muriau sy'n ein gwahanu,
eglwys wrth eglwys,
Cristion wrth Gristion.
Cymorth ni i dderbyn i ti farw nid dros rai ohonom ond pawb ohonom.

Cymorth ni i ddeall na all dim sydd yn ein gwahanu
fod yn bwysicach na'r gwirionedd sydd yn ein clymu.

40

DEG DARN AR HUGAIN O ARIAN DYNA'I GYD

Un o'r Offeiriaid

Darllen: Mathew 26:14 –16

Yna aeth un o'r Deuddeg, hwnnw a elwid Jwdas Iscariot, at y prif offeiriad a dweud, "Beth a rowch i mi os bradychaf ef i chwi?" Talasant iddo ddeg ar hugain o ddarnau arian; ac o'r pryd hwnnw dechreuodd geisio cyfle i'w fradychu ef.

Darllen: Mathew 27:3-5

Yna pan welodd Jwdas, ei fradychwr, fod Iesu wedi ei gondemnio, bu'n edifar ganddo ac aeth â'r deg darn arian ar hugain yn ôl at y prif offeiriaid a'r henuriaid. Dywedodd, "Pechais trwy fradychu dyn dieuog." "Beth yw hynny i ni?" meddent hwy, "rhyngot ti a hynny." A thaflodd Jwdas yr arian i lawr yn y deml ac ymadael; aeth ymaith, ac fe'i crogodd ei hun.

Myfyrdod

Deg darn ar hugain o arian, dyna'i gyd –
deg darn ar hugain o ddarnau bach arian i fradychu ei gyfaill gorau.
Allwch chi gredu hynny?
Ni allem ni,
Roeddem ni wedi disgwyl cant os nad rhagor,
ond fe ddechreuwyd yn isel, dim ond i chwarae'n saff,
gan ddisgwyl iddo fargeinio,
a gweld faint fyddem ni'n barod i godi.
Tasech chi ond wedi ei weld,
ni allai gadw ei ddwylo iddo'i hun, y cythraul barus!
Rwy'n credu'n bendant erbyn hyn y buasai wedi derbyn llai pe bawn wedi pwyso arno.
Ond doedden ni ddim yn yr hwyl i chware'r gêm –
yn enwedig wedi tair blynedd o gynllwynio,

tair blynedd o aros,
o'r diwedd roedd y dyn yn yr union le y dymunem iddo fod,
a'r cwbl am ddeg darn ar hugain o arian.
Arian – mae pobl yn barod i suddo i ddyfnderoedd er mwyn hwn,
gwerthu eu heneidiau;
y mae'n anhygoel,
yn drist a dweud y gwir.
Ydych chi'n credu y gall arian brynu hapusrwydd?
Wel, ni wnaeth fawr o les i Jwdas, y mae hynny'n sicr.
a dyna lle'r ydoedd ychydig ddyddiau yn ddiweddarach
ar ei liniau ar garreg ein drws yn disgwyl cydymdeimlad.
"Rwyf wedi bod yn ffŵl" meddai wrthym
"Rwyf wedi bradychu dyn dieuog"
Ac fe geisiodd ddychwelyd yr arian.
Ond yn rhy hwyr rwy'n ofni.
Roedd y niwed wedi ei wneud.
Doedd dim troi yn ôl bellach –
roedd hi ar ben ar Iesu,
nid oedd yn bosibl dadwneud ei weithred hunanol,
a chawsom gryn hwyl yn ei wylio'n gwingo.
Digon da i'r gwalch di egwyddor,
er iddo wneud cymwynas â ni.
Beth bynnag fe ddwedwyd wrtho am ei heglu hi,
gwnaeth ei gawl ei hun yn awr y mae'n rhaid iddo ei yfed.
Ond ni allai wneud hynny,
ni allai fyw gyda'i weithred,
ni allai barhau o wybod yr hyn a wnaeth.
Mae'n debyg iddo grogi ei hun,
a gwared da arno cyn belled â'n bod ni'n bod.
Ond y mae rhyw dro bach yng nghynffon y stori,
rhyw fanylyn na allaf wneud synnwyr ohono –
Ar y noson y bradychwyd ef yn yr ardd,
gan gusan o bopeth,
wyddoch chi be ddywedodd Iesu wrtho?
'Gyfaill, gwna yr hyn y daethost yma i'w wneud'
Cyfaill!
Wir i chi dyna ddywedodd ef.
Wel, gyda chyfeillion felly, pwy sydd angen gelynion.

Wele Iesu,
er yn gwybod am fwriadau Jwdas,
er ei fod yn ei adnabod yn well na neb,
yn barod i roi o'i amser iddo.
Mae'n ddirgelwch i mi,
ond wedi dweud hynny, dirgelwch fu ef i mi erioed.
Hwyrach fod hyn yn swnio'n rhyfedd i chi,
ond os yw Iesu wedi cyrraedd y deyrnas nefol honno y bu'n sôn cymaint amdani,
rwy'n ddigon parod i gredu iddo ddod o hyd i le i Jwdas yno hefyd,
hynny ar waetha'r cyfan!

Gweddi

Arglwydd,
mae'n hawdd condemnio Jwdas –
y gŵr a'th siomodd,
y gŵr a daflodd y cyfan i'r pedwar gwynt.
Gwyddom nad oes gennym ni o bawb yr hawl i farnu.
Bob dydd fe'th fradychwn di,
bradychwn ein hunain a'n hanwyliaid.
Dweud un peth a gwneud peth arall.
Llefarwn am ddelfrydau uchel ond methwn ymgyrraedd.
Rydym yn meddwl yn dda a gweithredu'n ffôl.
Gwared ni, Arglwydd
rhag barnu eraill, rhag i ni gael ein barnu.

41

YR OEDD OFN ARNO

Mathew

Darllen:Mathew 26:36-46

Yna daeth Iesu gyda hwy i le a elwir Gethsemane, ac meddai wrth y disgyblion, "Eisteddwch yma tra byddaf fi yn mynd fan draw i weddïo." Ac fe gymerodd gydag ef Pedr a dau fab Sebedeus; a dechreuodd deimlo tristwch a thrallod dwys. Yna meddai wrthynt, "Y mae f'enaid yn drist iawn hyd at farw. Arhoswch yma a gwyliwch gyda mi." Aeth ymlaen ychydig, a syrthiodd ar ei wyneb gan weddïo, "Fy Nhad, os yw'n bosibl, boed i'r cwpan hwn fynd heibio i mi; ond nid fel y mynnaf fi, ond fel y mynni di." Daeth yn ôl at y disgyblion a'u cael hwy'n cysgu, ac meddai wrth Pedr, "Felly! Oni allech wylio am un awr gyda mi? Gwyliwch, a gweddïwch na ddewch i gael eich profi. Y mae'r ysbryd yn barod ond y cnawd yn wan." Aeth ymaith drachefn yr ail waith a gweddïo, "Fy Nhad, os nad yw'n bosibl i'r cwpan hwn fynd heibio heb i mi ei yfed, gwneler dy ewyllys di." A phan ddaeth yn ôl fe'u cafodd hwy'n cysgu eto, oherwydd yr oedd eu llygaid yn drwm. Ac fe'u gadawodd eto a mynd ymaith i weddïo y drydedd waith, gan leafaru'r un geiriau drachefn. Yna daeth at y disgyblion a dweud wrthynt, "A ydych yn dal i gysgu a gorffwys? Dyma'r awr yn agos a Mab y Dyn yn cael ei fradychu i ddwylo dynion pechadurus. Codwch ac awn. Dyma fy mradychwr yn agosáu."

Myfyrdod

Yr oedd ofn arno, y mae hynny'n bendant.
Ni welais erioed mohono yn y cyflwr hwn.
Roedd ef bob amser mor sicr,
mor hyderus,
mor fodlon,
hyd yn oed wrth ymdrin â marwolaeth,
a bu llawer i ymdriniaeth felly.
Roeddem yn wirioneddol gredu nad oedd hyn yn ei boeni,

ond yr oedd y tro hwn yn wahanol,
gwahanol iawn.
Yr oeddem newydd orffen swper,
ac yntau wedi bod yn reit synfyfyriol ers amser,
felly nid syndod iddo awgrymu mynd allan am ychydig o awyr iach –
rhyw dro bach i glirio'r pen fel pe tai.
Ond yn sydyn gofynnodd i ni weddïo drosto,
ac yna diflannodd ar ei ben ei hun i'r tywyllwch.
Yr oedd ei absenoldeb yn ymddangos fel oes i ni,
ond pan ddychwelodd yr oedd golwg rhyfedd arno.
Yr oedd yn crynu fel deilen,
ei lygaid ar led mewn ofn a dychryn mawr,
ei chwys fel dafnau o waed,
dyna i chi beth oedd stâd.
'Roeddem wedi'n syfrdanu, credwch fi.
Pe byddech wedi clywed tôn ei lais wrth siarad â ni
fe fyddech chithau wedi dychryn,
a'r cyfan am i ni bendwmpian am ychydig funudau.
Gwn ei fod wedi'i frifo, ond yr oedd wedi hanner nos yn enw pob rheswm!
Tair gwaith y diflannodd,
a dychwelyd bob tro yn yr un cyflwr –
mewn arswyd.
Yr oedd ofn arno heb os nac oni bai.
Doedd hi ddim mor hawdd ag y tybiwyd gennym.
Dim yn hawdd o gwbl.

Gweddi

O! Arglwydd,
yr ydym mor gyfarwydd â hanes dy farwolaeth a'th atgyfodiad,
tueddwn i anghofio yr hyn a ddigwyddodd mewn gwirionedd –
y gofid, yr ansicrwydd,
y boen a'r ofn.
Eto dynol oeddet fel ninnau;
yr oedd meddwl am yr hyn oedd i ddigwydd
llawn mor ddychrynllyd i ti ag y byddai i ninnau.
Edrychaist i'r dyfodol a thu hwnt i'r groes,

ac er gwybod y cyfan ymlaen y cerddaist.
Arglwydd, cymorth ni i sylweddoli maint dy gariad,
ac i gynnig rhyw gymaint o'n cariad ninnau'n gyfnewid.

42

TORRODD EI GALON

Pedr

Darllen: Marc 14:32-42

Daethant i le o'r enw Gethsemane, ac meddai ef wrth ei ddisgyblion, "Eisteddwch yma tra byddaf yn gweddïo." Ac fe gymerodd gydag ef Pedr ac Iago ac Ioan, a dechreuodd deimlo arswyd a thrallod dwys, ac meddai wrthynt, "Y mae f'enaid yn drist iawn hyd at farw. Arhoswch yma a gwyliwch." Aeth ymlaen ychydig, a syrthiodd ar y ddaear a gweddïo ar i'r awr, petai'n bosibl, fynd heibio iddo. "Abba! Dad!" meddai, "y mae pob peth yn bosibl i ti. Cymer y cwpan hwn oddi wrthyf. Eithr nid yr hyn a fynnaf fi, ond yr hyn a fynni di." Daeth yn ôl a'u cael hwy'n cysgu, ac meddai wrth Pedr, "Simon, ai cysgu yr wyt ti? Oni ellaist wylio am un awr? Gwyliwch, a gweddïwch na ddewch i gael eich profi. Y mae'r ysbryd yn barod ond y cnawd yn wan." Aeth ymaith drachefn a gweddïo, gan lefaru'r un geiriau. A phan ddaeth yn ôl fe'u cafodd hwy'n cysgu eto, oherwydd yr oedd eu llygaid yn drwm; ac ni wyddent beth i'w ddweud wrtho. Daeth y drydedd waith, a dweud wrthynt, "A ydych yn dal i gysgu a gorffwys? Dyna ddigon. Daeth yr awr; dyma Fab y Dyn yn cael ei fradychu i ddwylo dynion pechadurus. Codwch ac awn. Dyma fy mradychwr yn agosáu."

Myfyrdod

Torrodd ei galon, os ydych yn gofyn i mi,
ac ni allaf ei feio.
Buaswn innau wedi gwneud yr un fath.
Yr oedd wedi disgwyl hyn gan eraill –
yr Ysgrifenyddion a'r Phariseaid –
gwyddai iddynt hwy gynllwynio yn ei erbyn o'r cychwyn cyntaf.
Ni thwyllwyd ef gan y dyrfa a'i croesawodd i Jerwsalem chwaith .
A Jwdas?

Gwelodd drwy hwn cyn i'r gwirionedd wawrio ar neb arall.
Ond yr oedd wedi disgwyl gwell gan y gweddill ohonom.
Nid oedd wedi gofyn llawer.
Gwyddai y byddwn i yn ei wadu ar waethaf fy mhrotestiadau,
a gwyddai y byddem i gyd yn cefnu arno pan fyddai'n bywydau yn y fantol.
Derbyniodd hyn i gyd, ac fe'n carodd hyd yr eithaf, Duw yn unig a ŵyr pam!
Ond yn yr ardd y teimlodd ein hangen ni fwyaf,
dyna pryd y gobeithiodd am ychydig mwy o gefnogaeth.
Cael gwybod ein bod yn poeni,
ein bod yn gefn iddo
ein bod yno.
Byddai wedi golygu llawer iddo.
Ac fe'i siomwyd ynom, hyd yn oedd yn y peth bach syml hwnnw.
Ni wn yn iawn beth ddigwyddodd.
Fe geisiais fy ngorau,
ond ni fedrwn gadw fy llygaid ar agor.
Gallaf faddau i mi fy hun am y pethau eraill,
wedi'r cyfan yr oedd fy mywyd yn y fantol.
Ond cadw yn effro am un awr.
Doedd hynny ddim yn ormod i ofyn, nac ydoedd?
Ac ni lwyddais i wneud hynny.
Torrodd ei galon,
bu'n ergyd farwol iddo,
ac y mae llawer iawn o'r bai yn disgyn arnaf fi.

Gweddi

Arglwydd Iesu,
clywn gymaint yn yr eglwys am lawenydd a dathlu
fel y credwn na ddylem deimlo'n wahanol.
Eto, yng Ngethsemane profaist boen gofid a thrallod,
ing y bradychu, y gwadu a'r gwrthodiad.
Profaist fywyd yn ei oriau tywyllaf a'i chael hi'n anodd dioddef.
Boed i'r gwirionedd hwnnw roi i ni nerth yn ein hangen –
y gallu i wynebu galar yn agored ac yn onest,
gan wybod i ti gerdded y llwybr hwn o' n blaen
a'th fod yn deall ein poen.

43

CREDAIS Y BYDDAI'N SIWR O DDIANC A DWEUD Y GWIR

Un o'r Milwyr

Darllen: Mathew 26: 47-50

Yna, tra oedd yn dal i siarad, dyma Jwdas, un o'r Deuddeg, yn dod, a chydag ef dyrfa yn dwyn cleddyfau a phastynau, wedi eu hanfon gan y prif offeiriaid a henuriaid y bobl. Rhoddodd ei fradychwr arwydd iddynt gan ddweud, "Yr un a gusanaf yw'r dyn; daliwch ef." Ac yn union aeth at Iesu a dweud, "Henffych well, Rabbi", a chusanodd ef.

Myfyrdod

Credais y byddai'n sïwr o ddianc a dweud y gwir,
a diflannu cyn y byddai'n rhy hwyr.
Mae'n rhaid iddo'n gweld ni'n nesau,
a gyda sŵn clindarddach yr arfau
mae'n sïwr iddo'n clywed.
Mae'n sïwr iddo deimlo erbyn hyn
fod yr ysgrifen ar y mur,
a hynny ymhell cyn i'w gyfaill bondigrybwyll ei fradychu.
Ond safodd yno,
yn gwylio,
yn disgwyl,
fel pe tai'n dymuno'r peth i ddigwydd,
fel pe tai'n teimlo ryw ryddhad o'n gweld.
Ond 'doedd pethau ddim mor syml â hynny,
dim o bell ffordd.
Hyd yn oed nawr, flynyddoedd yn ddiweddarach,
y mae'n parhau'n ddirgelwch,
dryswch rwy'n parhau i geisio ei ddatrys.
I raddau, dynol ydoedd
fel chi a minnau,
gyda'r holl emosiynau y disgwyliech eu gweld –

ofn,
anobaith,
poen.
Ond yr oedd mwy na hynny;
teimladau na ddisgwyliais eu gweld,
tangnefedd,
sicrwydd,
disgwyliad.
Edrychodd ar y sarff hwnnw, Jwdas,
ac nid y casineb a ddisgwyliais a welais yn ei lygaid –
ond cariad!
Edrychodd arnom ninnau,
ac nid y gymysgedd ddisgwyliedig o ddicter a dirmyg a welwyd –
ond dealltwriaeth,
maddeuant,
tosturi hyd yn oed.
A phan geisiodd un o'i ddilynwyr ddechrau sgarmes
drwy dynnu cleddyf a tharo clust un o'm milwyr,
nid chwerthin a balchder a gafwyd ganddo
ond estynnodd allan i iachau'u cyfaill o flaen ein llygaid.
Buasai'n braf cael llawer mwy tebyg iddo,
byddai'n newid mawr i'r giwed arferol y byddwn yn delio â hwy.
A dweud y gwir ni allwn weld pam yr oeddwn yn ei restio yn y lle cyntaf;
ymddangosai'n ddigon diniwed,
digon hoffus,
nid y troseddwr y disgwyliem.
Ond gorchymyn yw gorchymyn –
dim ond gwneud fy ngwaith roeddwn i.
Mae'n siŵr iddo wneud rhywbeth i haeddu'r dynged hon.
Felly, dyma ei gyrchu –
at Caiaffas,
at Herod,
at Peilat,
at y groes.
Gallai fod wedi dianc, rwy'n sicr o hynny,
a phan welais yr hyn a wnaethpwyd iddo, mae'n biti na fuasai wedi gwneud hynny.
Ni redodd, ni fu'n fwriad ganddo chwaith,

oherwydd o edrych yn ôl rwy'n teimlo
mai nid ni aeth i'r ardd i'w gyrchu ef,
ond ef oedd yno yn disgwyl amdanom ni.

Gweddi

Arglwydd Iesu,
dysgaist am garu gelyn,
gweddïo dros ein herlidwyr,
troi'r foch arall,
ac yng Ngethsemane gwireddaist yr hyn a ddysgaist.
Arglwydd,
gwyddom mai hawdd yw siarad
ond peth arall yw gweithredu.
Cynorthwya ni i droi'n geiriau yn weithredoedd.

44

CAFODD EI HAEDDIANT

Annas

Darllen: Ioan 18: 12-14, 19-24

Yna cymerodd y fintai a'i chapten, a swyddogion yr Iddewon, afael yn Iesu a'i rwymo. Aethant ag ef at Annas yn gyntaf. Ef oedd tad-yng-nghyfraith Caiaffas, a oedd yn archoffeiriad y flwyddyn honno. Caiaffas oedd y dyn a gynghorodd yr Iddewon mai mantais fyddai i un dyn farw dros y bobl.
Yna holodd yr archoffeiriad Iesu am ei ddisgyblion ac am ei ddysgeidiaeth. Atebodd Iesu ef: "Yr wyf fi wedi siarad yn agored wrth y byd. Yr oeddwn i bob amser yn dysgu yn y synagog ac yn y deml, lle y bydd yr Iddewon i gyd yn ymgynnull; nid wyf wedi siarad dim yn y dirgel. Pam yr wyt yn fy holi i? Hola'r rhai sydd wedi clywed yr hyn a leferais wrthynt. Dyma'r sawl sy'n gwybod beth a ddywedais i." Pan ddywedodd hyn, rhoddodd un o'r swyddogion oedd yn sefyll yn ei ymyl gernod i Iesu, gan ddweud, "Ai felly yr wyt yn ateb yr archoffeiriad?" Atebodd Iesu, "Os dywedais rywbeth o'i le, rho dystiolaeth ynglŷn â hynny. Ond os oeddwn yn fy lle, pam yr wyt yn fy nharo?" Yna anfonodd Annas ef, wedi ei rwymo, at Caiaffas, yr archoffeiriad.

Myfyrdod

Cafodd ei haeddiant,
ni allwch wadu hynny.
Fe'i rhybuddiwyd droeon,
dywedwyd wrtho am dawelu pethau.
Ond a wrandawodd?
Dim o gwbl!
Gwyddai sut roeddem y teimlo –
gwnaethpwyd hynny'n berffaith glir iddo –
a gwyddai am y peryglon llawn cystal â neb.
Ceisiwyd ei ddifetha drwy fwrw cerrig ato,
a byddem wedi llwyddo oni bai am y tyrfaoedd.

Ond daliodd ati i bregethu,
i dorri'r Sabath,
a chablu enw Duw.
Gwn y byddai'n anghydweld ar hynny –
 a diau y byddai ei gyfeillion yn cytuno –
a meddwl am bob math o ddwli i gyfiawnhau ei ddysgeidiaeth.
O! gwn, gwn yn iawn am bobl felly,
y peryglaf yn bod yn fy nhyb i.
Yr unig beth a ddywedaf wrthynt yw
ei fod yn hen bryd iddynt
ddod lawr o'u tyrrau ifori a wynebu'r gwirionedd.
Hwyrach iddo iachau'r cleifion,
cyflawni ychydig o wyrthiau,
ond nid yw hynny'n bopeth does posib.
Beth oedd y gost, dyna carwn i wybod?
Pa niwed a achoswyd i'n crefydd ni drwy anwybyddu'r Gyfraith yn y fath fodd?
Pa effaith a gafodd ar gronfeydd y deml drwy fwrw'r cyfnewidwyr allan?
Pa wrthryfel a anogodd, drwy godi gobeithion am Feseia?
Gallai fod wedi achosi marwolaeth pawb, dyna sy'n fy ngwylltio i;
roedd y Rhufeiniaid a'u cyllyll ynom yn barod, fe wyddai hynny.
Iawn, hwyrach iddo ystyried y byd nesaf yn bwysicach na hwn,
a bod yn well colli bywyd na'i ennill.
Ond ei broblem ef oedd hynny,
nid nyni.
Ein dymuniad ni oedd cael byw, pawb ohonom,
offeiriaid,
ysgrifenyddion,
Phariseaid,
Sadwceaid.
A'n dymuniad oedd cael byw yn fras, nid a'n hwynebau yn y baw.
Ni fu'n hawdd, bu'n waith anodd cyrraedd i'r fan hon,
cnoi tafod,
llyncu'n balchder,
cydymffurfio.
Ac ni allem ganiatáu i wallgofddyn ddifetha't cyfan.
Felly, peidiwch â theimlo drosto,

peidiwch â chredu iddo gael cam,
a pheidiwch â meiddio pwyntio bys cyhuddgar atom ni,
ac awgrymu y dylem deimlo cywilydd.
Bu'n rhaid i ni feddwl amdanom ein hunain,
heb sôn am ein pobl,
ein cenedl,
ein ffydd.
Dyna'r blaenoriaethau doed a ddelo.
Felly rwy'n dweud wrthych y bu'n rhaid iddo farw –
doedd dim dewis.
Credaf hynny o ddyfnderoedd fy mod,
a wyddoch chi beth?
Mewn ffordd tybiaf iddo yntau gredu hynny hefyd.

Gweddi

Arglwydd,
hawdd yw gwneud esgusodion,
a cheisio pob math o resymau
i gyfiawnhau gweithredoedd annerbyniol.
Gallwn dwyllo eraill, yn ogystal â'n hunain,
ond ni allwn fyth dy dwyllo di.
Cynorthwya ni felly, yn hytrach na chwilio am esgus
i wynebu ein hunain fel yr ydym, ac o wneud hynny, ceisio dy faddeuant
a'r adnewyddiad a ddaw ohonot ti yn unig.

45

BU'N RHAID IDDO FARW

Caiaffas

Darllen: Mathew 26: 57, 59-68

Aeth y rhai oedd wedi dal Iesu ag ef ymaith i dŷ Caiaffas yr archoffeiriad, lle'r oedd yr ysgrifenyddion a'r henuriaid wedi dod ynghyd. Yr oedd y prif offeiriaid a'r holl Sanhedrin yn ceisio camdystiolaeth yn erbyn Iesu, er mwyn ei roi i farwolaeth, ond ni chawsant ddim, er i lawer o dystion gau ddod ymlaen. Yn y diwedd daeth dau ymlaen a dweud, "Dywedodd hwn, 'Gallaf fwrw i lawr deml Duw, ac ymhen tridiau ei hadeiladu.'" Yna cododd yr archoffeiriad ar ei draed a dweud wrtho, "Onid atebi ddim? Beth am dystiolaeth y rhain yn dy erbyn?" Parhaodd Iesu'n fud; a dywedodd yr archoffeiriad wrtho, "Yr wyf yn rhoi siars i ti dyngu yn enw'r Duw byw a dweud wrthym ai ti yw'r Meseia, Mab Duw." Dywedodd Iesu wrtho, "Ti a ddywedodd hynny; ond 'rwy'n dweud wrthych:

> 'O hyn allan fe welwch Fab y Dyn
> yn eistedd ar ddeheulaw'r Gallu
> ac yn dyfod ar gymylau'r nef.'"

Yna rhwygodd yr archoffeiriad ei ddillad a dweud, "Cabledd! Pa raid i ni wrth dystion bellach? Yr ydych newydd glywed ei gabledd. Sut y barnwch chwi?" Atebasant, "Y mae'n haeddu marwolaeth." Yna poerasant ar ei wyneb a'i gernodio; trawodd rhai ef a dweud, "Proffwyda i ni, Feseia! Pwy a'th drawodd?"

Myfyrdod

Bu'n rhaid iddo farw.
Doedd dim ffordd arall.
Doedd gen i ddim yn ei erbyn yn bersonol, peidiwch â meddwl hynny;
ond yr oedd yn rhy beryglus,
yn ormod o fygythiad i'n diogelwch.
Nid oeddem ni'r Iddewon yn boblogaidd gyda'r Rhufeiniaid ar y gorau.
Do, fe gawsom ambell i fraint –

rhyddid i addoli,
rhyddid i ddilyn ein Cyfraith o fewn rheswm –
ond dim ond i'n cadw'n dawel.
Ni fyddai wedi gofyn llawer i newid y cytundeb hwnnw.
Un awgrym o drwbl,
un arwydd o wrthryfel,
a byddent ar ein gwarrau fel tunnell o frics.
Ac eto, dyma Iesu yn mynd ar ei daith heb ystyried yr un ohonom.
Gwyddai'r sefyllfa yn iawn – beth bynnag arall ydoedd, nid oedd yn ffŵl –
ond daliodd ati heb feddwl dim,
anogodd pob gwalch i'w ganlyn i'w deyrnas,
cyhoeddodd ryddid i gaethion,
cyfoeth i'r tlodion.
Gwn iddo honni nad oedd ei deyrnas o'r byd hwn,
ond a ydoedd yn disgwyl i unrhyw un gredu hynny?
Nac ydoedd, wrth reswm,
nid Peilat, nid Herod, nid neb.
Fe ddywed dyn unrhyw beth i achub ei groen ei hunan.
O dan yr allanolion addfwyn a thyner gwyddem yn iawn am ei gynllwyn.
Gwrthryfelwr ydoedd fel y gweddill,
yn corddi'r dorf,
yn codi gobeithion,
a gosod ei hun fel Meseia.
Ni allai fy nghydwybod ganiatáu i hynny ddigwydd.
Credwch fi, nid oeddwn yn mwynhau llyfu traed y Rhufeiniaid,
ond rhaid bod yn synhwyrol,
hyd nes i Dduw yn ei amser ei hun newid y sefyllfa.
Felly dyma gynllunio cyhuddiadau i'w dwyn gerbron Peilat,
a threfnu i dystion gau dystio yn ei erbyn.
Do, rwy'n cyfaddef,
bu'n rhaid i mi ddweud celwydd a thwyllo,
ond y mae adegau mewn bywyd pryd y gellid cyfiawnhau hynny.
Nid wyf yn falch o'r hyn a wneuthum, beth bynnag a ddywed pobl eraill.
Bu'n rhaid i mi ymgodymu'n hir a chaled â mi fy hun.
Ond deuthum i'r penderfyniad cywir,
yr unig benderfyniad,

penderfyniad a fyddai'n arbed argyfwng cenedlaethol.
Er hynny, rwy'n cyfaddef fod rhywbeth yn fy mhoeni o hyd,
sef yr hyn mae ei ddisgyblion yn ei ddweud,
maent hwythau'n honni fel finnau y bu'n rhaid iddo farw,
nid oedd ffordd arall,
mai dyna oedd ewyllys Duw.
Beth yw'r gêm, 'sgwn i?
Ai ceisio arbed eu hunain y maent, a gwneud y gorau o'r gwaethaf?
Neu a ydynt o'r diwedd yn cydnabod mai fi oedd yn iawn, ac iddo dderbyn ei haeddiant?
Ni allaf gredu hynny.
Ac os nad felly, beth sy'n digwydd?
Os bu'n rhaid iddo farw, sut ar wyneb daear y gallai fod yn Feseia?
Allwch chi wneud synnwyr ohono?
Buasai'n dda gennyf fi pe medrwn.

Gweddi

Arglwydd Iesu,
mae'n hawdd defnyddio hen ystrydebion
i gyfiawnhau ein hunain
Achub ni rhag cymryd y llwybr hawdd ac aberthu'r gwirionedd,
ac achub ni rhag amddiffyn yr hyn na ellir ei gyfiawnhau.

46

RHYBUDDIODD FI

Pedr

Darllen: Luc 22: 54-62

Daliasant ef, a mynd ag ef ymaith i mewn i dŷ'r archoffeiriad. Yr oedd Pedr yn canlyn o hirbell. Cynnodd rhai dân yng nghornel y cyntedd, ac eistedd gyda'i gilydd. Eisteddodd yn eu plith. Gwelodd morwyn ef yn eistedd wrth y tân, ac wedi syllu arno meddai, "Yr oedd hwn hefyd gydag ef." Ond gwadodd ef a dweud, "Nid wyf fi'n ei adnabod, ferch." Yn fuan wedi hynny gwelodd un arall ef, ac meddai, "Yr wyt tithau yn un ohonynt." Ond meddai Pedr, "Nac ydwyf, ddyn." Ymhen rhyw awr, dechreuodd un arall daeru, "Yn wir yr oedd hwn hefyd gydag ef, oherwydd Galilead ydyw." Meddai Pedr, "Ddyn, nid wyf yn gwybod am beth yr wyt ti'n sôn." Ac ar unwaith, tra oedd yn dal i siarad, canodd y ceiliog. Troes yr Arglwydd ac edrych ar Pedr, a chofiodd ef air yr Arglwydd wrtho, "Cyn i'r ceiliog ganu heddiw, fe'm gwedi i deirgwaith." Aeth allan ac wylo'n chwerw.

Myfyrdod

Rhybuddiodd fi y byddai hyn yn digwydd,
dywedodd yn union fel y byddai,
ond ni allwn ei gredu.
Pe bai wedi sôn am rywun arall, byddai hynny'n wahanol –
Wedi'r cyfan ni allwch ymddiried ym mhawb, hyd yn oed eich cyfeillion.
A dweud y gwir disgwyliais i rai ohonynt roi'r ffidil yn y to,
yn enwedig dan bwysau.
Ond roeddwn i'n wahanol.
Fi wedi'r cyfan a alwyd i fod yn ddisgybl cyntaf iddo,
fi sylweddolodd mai ef oedd y Meseia
pan oedd y lleill yn ymbalfalu yn y tywyllwch,
fi a alwyd ganddo "Y Graig"
Ac mewn gair wele fi:

cadarn,
diysgog
dibynadwy.
Nid wyf yn honni mod i'n well na neb arall,
dim ond fod fy ffydd yn ymddangos yn gryfach.
Felly dywedais wrtho,
yn hyderus,
gyda balchder,
"Er i bawb arall dy adael ni wnaf i byth.
Arglwydd, rwy'n barod i farw drosot"
Y mae'r geiriau hynny'n parhau i gyniwair o'm mewn.
O! na fyddwn wedi cau fy ngheg fawr,
Roeddem i gyd wedi ei siomi yn ein ffyrdd ein hunain.
Edrychant arnaf fi a dweud, "Hwn a'i gwadodd"
Siaradant am Jwdas a dweud "Hwn a'i bradychodd"
Cyfeiriant at y lleill a dweud "Rhain a gefnodd arno"
Wel, gadewch iddynt farnu os mynnant.
Gadewch iddynt gredu eu bod yn ben ac ysgwydd uwchben pawb;
Bu'n rhaid i mi ddysgu'n wahanol.

Gweddi

Arglwydd,
gallet fod wedi dewis rhywun yn sylfaen i'th Eglwys,
ond dewisaist Pedr –
y gŵr a'th gamddeallodd a'th wadu.
Gŵr y buasem ni wedi ei anwybyddu,
ond gwelaist ti ddefnydd craig ynddo i adeiladu dy deyrnas.
O Iesu,
pan fyddwn ninnau yn dy siomi,
atgoffa ni am Pedr a chynorthwya ni i gredu y gelli ein defnyddio o hyd.

47

YR OEDD YN DDIEUOG

Herod

Darllen: Luc 23: 6-12

Pan glywodd Pilat hyn, gofynnodd ai Galilead oedd y dyn; ac wedi deall ei fod o dan awdurdod Herod, cyfeiriodd yr achos ato, gan fod Herod yntau yn Jerwsalem y dyddiau hynny. Pan welodd Herod Iesu, mawr oedd ei lawenydd; bu'n awyddus ers amser hir i'w weld, gan iddo glywed amdano, ac yr oedd yn gobeithio ei weld yn cyflawni rhyw wyrth. Bu'n ei holi'n faith, ond nid atebodd Iesu iddo yr un gair. Yr oedd y prif offeiriaid a'r ysgrifenyddion yno, yn ei gyhuddo yn ffyrnig. A'i drin yn sarhaus a wnaeth Herod hefyd, ynghyd â'i filwyr. Fe'i gwatwarodd, a gosododd wisg ysblennydd amdano, cyn cyfeirio'r achos yn ôl at Pilat. Daeth Herod a Philat yn gyfeillion i'w gilydd y dydd hwnnw; cyn hynny yr oedd gelyniaeth rhyngddynt.

Myfyrdod

Yr oedd yn ddieuog , gallech weld hynny yn syth,
yn ddieuog o unrhyw drosedd.
Dylwn fod wedi sylweddoli hynny pan anfonodd Peilat ef ataf, yr hen lwynog –
yn disgwyl i mi wneud y gwaith budr fel arfer.
Ond nid y tro hwn, diolch yn fawr.
Roeddwn yn reit falch ar y dechrau,
bum eisiau gweld yr Iesu yma ers amser;
wedi clywed cymaint amdano ydych chi'n gweld.
Hwn oedd yr atyniad mwyaf yn Jwdea,
yn tynnu'r tyrfaoedd yn eu miloedd.
Roeddem i gyd wedi edrych ymlaen i weld drosom ein hunain.
Ond am siom!
A fyddai'n perfformio i ni, a rhoi prawf o'i ddoniau?
Dim ffiars o beryg!
Twyllwr ydoedd a dim arall,

a gwnaethom yn siwr ei fod yn dioddef am hynny.
Ac eto gwyddem yn ein calonnau nad twyllwr mohono.
Doedd dim rhaid i chi ond edrych arno i weld hynny.
Roedd ei lygaid yn edrych drwy rywun,
heb awgrym o dwyll,
heb arlliw o falais,
heb arwydd o ddrygioni.
Dyn da, y gorau a welais i.
Ni allem ei ryddhau wrth gwrs, doedd yr hinsawdd wleidyddol ddim yn caniatáu hynny,
ond roeddwn yn benderfynol mai nid fi fyddai'r un i'w ddedfrydu.
Mae gennyf i ddigon i'w ddifaru ynglŷn a'r Bedyddiwr hwnnw,
beth bynnag oedd ei enw.
Na, penderfynais roi'r penderfyniad yn nwylo Peilat.
Ac fe ddeallodd hwnnw.
Ddiolchodd e' ddim i mi am ei roi yn y sefyllfa hon, ond yr oedd yn deall yn iawn.
Mae'n debyg ei fod yn gwybod sut un oedd Iesu.
Yr oedd yn ddieuog
yn ddieuog o unrhyw drosedd;
yr oeddem ill dau yn gwybod hynny;
dyna braf fyddai cael teimlo hynny amdanom ein hunain.

Gweddi

Arglwydd Iesu,
fel yng nghyd-destun Herod, fe roddi di ddewis i ni –
rhwng yr hyn sy'n iawn a'r hyn sy'n anghywir,
rhwng da a drwg,
rhwng bywyd a marwolaeth.
Gwyddom ba ffordd y dylem ei throedio,
a gwyddom y pris yn ogystal,
ac felly fe daflwn y cyfrifoldeb ar eraill.
Eto ni allwn osgoi dy her,
oherwydd ym mhob gweithred o osgoi fe wnawn ein dewis.
Rho i ni, Arglwydd, y gwroldeb i wynebu dewisiadau bywyd,
a rho i ni ddoethineb i ddewis yn iawn.

48

O! DDUW BETH YDW I WEDI EI WNEUD

Jwdas

Darllen: Mathew 27: 1-5a

Pan ddaeth yn ddydd cynllwyniodd yr holl brif offeiriaid a henuriaid y bobl yn erbyn Iesu i'w roi i farwolaeth. Rhwymasant ef a mynd ag ef ymaith a'i drosglwyddo i Pilat, y rhaglaw. Yna pan welodd Jwdas, ei fradychwr, fod Iesu wedi ei gondemnio, bu'n edifar ganddo ac aeth â'r deg darn ar hugain yn ôl at y prif offeiriaid a'r henuriaid. Dywedodd, "Pechais trwy fradychu dyn dieuog." "Beth yw hynny i ni?" meddent hwy, "rhyngot ti a hynny." A thaflodd Jwdas yr arian i lawr yn y deml ac ymadael.

Myfyrdod

O! Dduw beth ydw i wedi ei wneud? Beth ydw i wedi ei wneud?
Y gŵr a elwais yn gyfaill imi,
a ddygwyd gerbron Caiaffas,
a brofwyd gan y Cyngor,
a gondemniwyd i'r farwolaeth greulonaf,
a'r cwbl o'm hachos i.
'Rwyf wedi ceisio argyhoeddi fy hun mai nid myfi oedd ar fai,
ond yr offeiriaid,
Herod,
Peilat,
pawb ond fi.
Nhw, wedi'r cyfan oedd y bobl a ewyllysiodd ei farwolaeth .
Nhw oedd y rhai a gyhoeddodd y ddedfryd,
felly pam fy nghyhuddo i?
Ceisiais argyhoeddi fy hun fod fy rhan i yn y gweithgareddau'n amherthnasol,
pe bawn i heb ei fradychu byddai rhywun arall wedi gwneud,
dim ond mater o amser ydoedd,
felly, pam fy nghondemnio i?

Ceiais argyhoeddi fy hun nad oedd gennyf unrhyw ddewis,
roedd yn rhaid iddo wynebu'r gwirionedd,
roedd yn rhaid iddo weld rheswm.
Roedd fy nghymellion yn ddilys,
felly pam fy marnu i?
Ceisiais argyhoeddi fy hun mai dyna oedd ei ddymuniad,
fy mod wedi fy nefnyddio hyd yn oed,
offeryn yng nghynllun mawr Duw,
pyped diymadferth heb unrhyw reolaeth ar y sefyllfa,
felly pam fy meio i?
Ond mi rydw i'n beio fy hun, dyna'r drafferth.
Nid wyf yn poeni am eraill;
rwy'n poeni amdanaf fy hun.
Oherwydd gwn, ar waethaf fy esgusion,
nad oes modd osgoi fy nghyfrifoldeb. Y mae yno ger fy mron, bob eiliad, pob munud,
yn ddwfn yn fy nghalon –
yr amheuaeth,
yr ofn,
y trachwant,
yr hunanoldeb,
a'i hanfonodd i'r groes gyda chusan.
O Dduw, beth ydw i wedi ei wneud? Beth ydw i wedi ei wneud?
Duw maddau imi, maddau i mi.
Oherwydd ni allaf faddau i mi fy hun.

Gweddi

Arglwydd, mae'n anodd maddau camgymeriadau –
camgymeriadau eraill a'n camgymeriadau ninnau.
Yr ydym yn rhy barod i weld bai a rhy barod i gonemni.
Eto, ffordd trugaredd yw dy ffordd di,
bob amser yn barod i gynnig cyfle newydd,
bob amser yn caniatau i ni ddechrau o'r newydd.
Helpa ni Arglwydd,
i dderbyn dy faddeuant
a maddau i eraill yn eu tro.

49

RHYBUDDIAIS EF I GADW'N GLIR

Gwraig Peilat

Darllen: Mathew 27:15-26

Ar yr ŵyl yr oedd y rhaglaw yn arfer rhyddhau i'r dyrfa un carcharor o'u dewis hwy. A'r pryd hwnnw yr oedd carcharor adnabyddus yn y ddalfa, o'r enw Iesu Barabbas. Felly, wedi iddynt ymgynnull. gofynnodd Pilat iddynt, "Pwy a fynnwch i mi ei ryddhau i chwi, Iesu Barabbas ynteu Iesu a elwir y Meseia?" Oherwydd gwyddai mai o genfigen y traddodasant ef. A thra oedd Pilat yn eistedd ar y brawdle anfonodd ei wraig neges ato, yn dweud, "Paid ag ymyrryd â'r dyn cyfiawn yna, oherwydd cefais lawer o ofid mewn breuddwyd neithiwr o'i achos ef." Ond perswadiodd y prif offeiriaid a'r henuriaid y tyrfaoedd i ofyn am ryddhau Barabbas a rhoi Iesu i farwolaeth. Atebodd y rhaglaw gan ofyn iddynt, "Prun o'r ddau a fynnwch i mi ei ryddhau i chwi?" "Barabbas," meddent hwy. "Beth, ynteu, a wnaf â Iesu a elwir y Meseia?" gofynnodd Pilat iddynt. Atebasant i gyd, "Croeshoelier ef." "Ond pa ddrwg a wnaeth ef?" meddai yntau. Gwaeddasant hwythau yn uwch byth, "Croeshoelier ef." Pan welodd Pilat nad oedd dim yn tycio ond yn hytrach bod cynnwrf yn codi, cymerodd ddŵr, a golchodd ei ddwylo o flaen y dyrfa, a dweud, "Yr wyf fi'n ddieuog o waed y dyn hwn; chwi fydd yn gyfrifol." Ac atebodd yr holl bobl, "Boed ei waed arnom ni ac ar ein plant." Yna rhyddhaodd Pilat iddynt Barabbas, a thraddododd Iesu, ar ôl ei fflangellu, i'w groeshoelio.

Myfyrdod

Rhybuddiais ef i gadw'n glir.
'Gad lonydd' meddwn,
'Cadw draw.
Wedi'r cyfan, ti yw'r llywodraethwr,
ti sydd wrth y llyw.
Gad y mater i'r Iddewon,
anfon ef at Herod,

gad i eraill wneud y gwaith budr am unwaith.
Nid dy broblem di mohoni!'
Ond, beth wnaeth ef?
Gwneud cawl go iawn o bethau, dyna a wnaeth!
Do fe drïodd, ni allaf wadu hynny;
fe geisiodd olchi ei ddwylo o'r busnes i gyd.
Ni welais mohono erioed wedi cynhyrfu gymaint,
ac mor ansicr ohono'i hun.
Ac i fod yn deg, fe gymerodd fy nghyngor i ryw raddau;
gyrru'r dyn at Herod, fel yr awgrymais.
Ond fe adawodd iddo anfon Iesu yn ôl, dyna sy'n ddirgelwch i mi –
gadawodd y llwynog cyfrwys yn rhydd
a gadel ei hunan yn y picil.
Dyna ddynion i chi, bob tamaid!
Wedi hynny roedd pethau ar y goriwaered.
'Dewiswch chi,' meddai wrth y dorf
'Barabbas, neu Iesu?'
Gwych!
Sylweddolodd y dyrfa yr hyn a geisiodd ei wneud
ac yr oeddent yn benderfynol na chawsai'r trechaf arnynt.
'Ryddha i ni Barabbas,' meddent,
gallech hyd yn oed glywed rhyw dinc chwerthin yn eu lleisiau.
Felly, yno y safodd,
heb unman i droi,
neb i droi ato,
a'r penderfyniad yn ei ddwylo ef, ac ef yn unig.
Hyd yn oed wedyn nid oedd hi ar ben arno,
dylai fod wedi herio'r dyrfa,
gwrando ar ei gydwybod –
nid ei fod wedi gwneud hynny erioed cofiwch chi.
Ond pan ddaeth yr awgrym fod amheuaeth ynglŷn a'i deyrngarwch,
a bod ei swydd yn y fantol,
dyna hi wedyn.
Ond edrychwch arno nawr.
Credais fod fy nerfau i yn ddrwg,
ond dim i'w gymharu ag ef.
Ni all anghofio'r dyn,
nos na dydd,

dim eiliad o heddwch.
Y mae wedi ei boenydio gan gywilydd.
Wel, fe geisiais ei rybuddio;
Ni allwn wneud mwy.
Gwnaeth ei benderfyniad
ac yn awr y mae'n rhaid iddo fyw gyda'r penderfyniad hwnnw.
Weithiau ni allaf ond meddwl
wrth edrych i'w lygaid
a gweld y boen ym myw'r llygaid hynny,
pwy fu'n barnu'r diwrnod hwnnw.
Ai Pontius a gondemniodd Iesu?
Neu ai ef, Pontius, a gondemniwyd?

Gweddi

Arglwydd Iesu,
gwnaethom, bawb ohonom gamgymeriadau-
camgymeriadau sy'n pwyso'n drwm ar ein cydwybod.
Gallwn eu gwadu, a cheisio rhedeg i ffwrdd oddi wrthynt,
golchi ein dwylo ohonynt,
ond er ceisio ni allwn ddianc.
Dysg i ni beidio rhedeg oddi wrth y pethau sy'n hunllef i ni,
ond eu cydnabod yn agored ger dy fron,
fel y gallwn ddarganfod
'yr hedd na ŵyr y byd amdano'

50

YR OEDD YN WAHANOL

Peilat

Darllen: Ioan 18:33-19:1

Yna, aeth Pilat i mewn i'r Praetoriwm eto. Galwodd Iesu, ac meddai wrtho, "Ai ti yw Brenin yr Iddewon?" Atebodd Iesu, "Ai ohonot dy hun yr wyt ti'n dweud hyn, ai ynteu eraill a ddywedodd hyn wrthyt amdanaf fi?" Atebodd Pilat, "Ai Iddew wyf fi? Dy genedl dy hun a'i phrif offeiriaid sydd wedi dy drosglwyddo di i mi. Beth wnaethost ti?" Atebodd Iesu, "Nid yw fy nheyrnas i o'r byd hwn. Pe bai fy nheyrnas i o'r byd hwn, byddai fy ngwasanaethwyr i yn ymladd, rhag imi gael fy nhrosglwyddo i'r Iddewon. Ond y gwir yw, nid dyma darddle fy nheyrnas i." Yna meddai Pilat wrtho, "Yr wyt ti yn frenin, ynteu?" "Ti sy'n dweud fy mod yn frenin," atebodd Iesu. "Er mwyn hyn yr wyf fi wedi cael fy ngeni, ac er mwyn hyn y deuthum i'r byd, i dystiolaethu i'r gwirionedd. Y mae pawb sy'n perthyn i'r gwirionedd yn gwrando ar fy llais i." Meddai Pilat wrtho, "Beth yw gwirionedd?" Wedi iddo ddweud hyn, daeth allan eto at yr Iddewon ac meddai wrthynt, "Nid wyf fi yn cael unrhyw achos yn ei erbyn. Ond y mae'n arfer gennych i mi ryddhau un carcharor ichwi ar y Pasg. A ydych yn dymuno, felly, imi ryddhau ichwi Frenin yr Iddewon?" Yna gwaeddasant yn ôl, "Na, nid hwnnw, ond Barabbas." Lleidr oedd Barabbas. Yna cymerodd Pilat Iesu, a'i fflangellu.

Myfyrdod

Yr oedd yn wahanol,
y mae'n rhaid i mi gyfaddef.
Nid fel y disgwyliais.
Clywais yr hanesion, wrth gwrs.
Pwy na chlywodd?
Athro, cyflawnwr gwyrthiau, Meseia.
Ond credais na fyddai'n wahanol i'r gweddill;
ymhonnwr yn aros ei gyfle,

penboethyn a feiddiai ddychmygu
y gallai oresgyn Rhufain fawr.
Gan amlaf ni chymerai fwy na phum munud i mi setlo pobl o'r fath.
Fflangelliad go eger yn sicr o dawelu pob clown.
Ond nid y dyn hwn –
fe geisiais y ffordd honno,
fe geisiais dipyn o bopeth.
Ac eto daliodd i edrych drwof
fel pe tawn i ar brawf,
ac yntau wrth y llyw.
Yr oedd yn ddieuog wrth gwrs; gallai unrhyw ffŵl weld hynny.
Ond ni wnaeth ddim i helpu'i hunan,
buaswn yn taeru ei fod ef yn dymuno marw.
Hwyrach iddo deimlo mai ofer fyddai ceisio osgoi,
ni fuasai'r dorf yn caniatáu iddo gerdded yn rhydd,
ond pam y byddent yn dymuno ei ladd sy'n ddirgelwch i mi.
Doedd gennyf ddim dewis, dyna rwy'n ceisio'i ddweud wrthyf fy hunan.

Yr oedd yn ddyletswydd arnaf.
Beth bynnag, y nhw, ac nid myfi a gafodd y gair olaf.
Ac eto ni allaf ond teimlo y gallwn fod wedi gwneud mwy.
Rwy'n teimlo rhyw euogrwydd braidd.
Dydy'r wraig yn fawr o gymorth, yn mynnu fy mhlagio bob munud ynglŷn â'r peth.
Ydi hi'n credu y gallaf gysgu yn well na hi?
Beth fyddai hi wedi'i wneud tybed?
Golchais fy nwylo ohono yn y diwedd, yn llythrennol.
Ond rwy'n dal i deimlo'n fudr, dyna fy mhroblem.
Yr oedd yn wahanol, mae hynny'n saff,
ond pa fath ddyn ydoedd?
Dyna'r dirgelwch.

Gweddi

Arglwydd Iesu,
yn wyneb penderfyniadau anodd
honnwn nad oes gennym ddewis,

fod bywyd wedi'n cornelu.
Ond yn ein calonnau gwyddom nad yw hynny'n iawn.
Er mor anodd, er mor boenus, er mor gostus,
y mae yna bob amser, ffordd gywir neu ffordd anghywir
dim ond i ni chwilio amdani.
Maddau ein hesgusion.
Maddau pob ymdrech i osgoi cyfrifoldebau.
Maddau i ni'r troeon y cymerwyd y ffordd hawsaf
yn hytrach na gwneud yr hyn oedd yn iawn.

51

RHWYGWYD EI GEFN YN RHACS

Nicodemus

Darllen: Ioan 19:1-6a

Yna cymerodd Pilat Iesu, a'i fflangellu. A phlethodd y milwyr goron o ddrain a'i gosod ar ei ben ef, a rhoi mantell borffor amdano. Ac yr oeddent yn dod ato ac yn dweud, "Henffych well, Frenin yr Iddewon!" ac yn ei gernodio. Daeth Pilat allan eto, ac meddai wrthynt, "Edrychwch, 'rwy'n dod ag ef allan atoch, er mwyn ichwi wybod nad wyf yn cael unrhyw achos yn ei erbyn." Daeth Iesu allan, felly, yn gwisgo'r goron ddrain a'r fantell borffor. A dywedodd Pilat wrthynt, "Dyma'r dyn." Pan welodd y prif offeiriaid a'r swyddogion ef, gwaeddasant, "Croeshoelia, croeshoelia."

Myfyrdod

Rhwygwyd ei gefn yn rhacs,
afonydd gwaedlyd yn blith drafflith,
y croen yn hongian yn garpiog lle rhwygodd y fflangell y cnawd.
Eto ni ddywedodd yr un gair –
dim cri am drugaredd,
dim arwydd o brotest,
dim ymgais i ddifrïo –
dim!
Arwahan i ambell ochenaid o boen
nid agorodd ei enau.
Yr oeddem wedi rhyfeddu.
Gwelsom lofruddion didrugaredd yn ymgreinio o dan y fflangell,
cewri'n wylo fel babanod,
ond nid Iesu.
Rhaid i mi gyfaddef, credais y byddai'n ildio;
Ni ddychmygais erioed y gallai oddef y fath gosb.
Ambell ergyd efallai,
ond yna fe blygai a dweud yr hyn y dymunent hwy iddo ddweud,

cyfaddef mai celwydd fu'r cyfan.
Ni ddigwyddodd hynny,
ni edrychodd yn debygol o ddigwydd;
ac yn sydyn cofiais eiriau'r proffwyd Eseia,
y weledigaeth fawr honno
wedi ei gwisgo ag ystyr newydd –
'Arweiniwyd ef fel oen i'r lladdfa,
ac fel y bydd dafad yn ddistaw yn llaw'r cneifiwr,
felly nid agorai yntau ei enau.Ond fe'i harchollwyd am ein camweddau ni,
a'i glwyfo am ein hanwireddau ni;

'roedd pris ein heddwch ni arno ef,
a thrwy ei gleisiau ef y cawsom ni iachâd'
Yr oedd y cyfan fel fflach o'r nefoedd,
pelydryn o heulwen mewn anialwch tywyll diflas,
oherwydd sylweddolais yno yn wyneb y fath ddrygioni a dioddefaint,
yno yng nghysgodion gofid a marwolaeth,
fod Duw ar waith,
yn dwyn iachâd,
cariad,
bywyd.
Ai felly y gwelodd Iesu bethau?
Ai dyna'r gyfrinach a roddodd iddo nerth?
Ni ddown fyth i wybod hynny.
Ond fe ddywedaf un peth:
bu ei weld yn dioddef felly yn gyfrwng i newid fy mywyd i.
Gorfododd fi i ymateb,
yr oedd yn rhaid dilyn;
doedd dim ffordd arall.
Oherwydd sylweddolais mai fi ddylai fod yno yn diodde'r boen;
chi ddylai fod yno,
Caiaffas,
Peilat,
unrhyw un –
unrhyw un ond Iesu.
'Fe'i torrwyd o dir y rhai byw,'
mewn ffordd na ddeallaf byth,

ond mewn ffordd nad anghofiaf byth,
fe'i gwnaeth drosom ni!

Gweddi

Arglwydd,
cofiwn y cariad a roddwyd mor nerthol
yn ystod wythnos olaf dy fywyd.
Cofiwn fel y rhennaist y bara a'r gwin
gyda'r dynion a gefnodd arnat, bob un.
Cofiwn dy ing yng Ngethsemane.
Cofiwn fel yr wynebaist y milwyr,
y gofid, y gwarth,
dy ddioddefaint, dy farwolaeth.
Arglwydd Iesu,
rhyfeddwn at gymaint y buost yn barod i'w oddef
er ein mwyn ni.

52

DIODDEFODD BOEN

Milwr

Darllen: Mathew 27:27-31, 45-46

Yna cymerodd milwyr y rhaglaw Iesu i'r Praetoriwm a chynnull yr holl fintai o'i gwmpas. Wedi diosg ei ddillad, rhoesant glogyn ysgarlad amdano; plethasant goron o ddrain a'i gosod ar ei ben, a gwialen yn ei law dde. Aethant ar eu gliniau o'i flaen a'i watwar: "Henffych well, Frenin yr Iddewon!" Poerasant arno, a chymryd y wialen a'i guro ar ei ben. Ac wedi iddynt ei watwar, tynasant y clogyn oddi amdano a'i wisgo ef â'i ddillad ei hun, a mynd ag ef ymaith i'w groeshoelio. O ganol dydd, daeth tywyllwch dros yr holl wlad hyd dri o'r gloch y prynhawn. A thua thri o'r gloch gwaeddodd Iesu â llef uchel, "Eli, Eli, lema sabachthani", hynny yw, "Fy Nuw, fy Nuw, pam yr wyt wedi fy ngadael?"

Myfyrdod

Dioddefodd boen,
credwch fi, rwy'n gwybod.
Gwelais ddigon o groeshoelio dros y blynyddoedd.
Y cwbl yn rhan o ddiwrnod gwaith i mi.
Clywais ambell un yn udo am drugaredd o bryd i'w gilydd.
Does dim i'w gymharu i groeshoelio os am achosi poen dirdynnol,
y mae'n araf, yn llusgo, yn uffernol.
Ond yr oedd ef yn wahanol, dyna sy'n rhyfedd.
Gallwn weld ei fod yn dioddef;
yr oedd y boen i'w weld
yn ei lygaid,
yng ngwingo'i gorff,
yn y chwys a redodd ohono,
a mwy na dim yn yr ochenaid olaf ddychrynllyd honno.
Ond ni chwynodd,
ni chlywyd yr un sgrech,

ni chlywyd yr un gair o reg.
Od iawn oedd hynny.
A dweud y gwir ni welais neb tebyg iddo.
Yr edrychiad hwnnw, hyd yn oed yn ei farwolaeth,
fel pe bai ni oedd y rhai a ddioddefodd,
fel pe bai ni oedd y troseddwyr,
fel pe bai yn tosturio wrthym ni.
Mae'n chwerthinllyd, wrth gwrs.
Ond wyddoch chi beth ?
Gallwn daeru, wrth iddo anadlu ei anadl olaf
fod gwên ar ei wyneb,
fel pe tai wedi cyflawni rhywbeth.
Busnes od,
od iawn.

Gweddi

Arglwydd Iesu,
moliannwn di am dy weinidogaeth,
dy gariad, dy ffyddlondeb i'th alwad.
Diolchwn am dy barodrwydd i wynebu angau ei hun
fel y gallem ni ddarganfod ystyr bywyd.
Diolchwn am yr ymdeimlad o bwrpas,
y gwroldeb mewnol, y ffydd ddiysgog
a'th gynhaliodd hyd y diwedd.
Arglwydd, maddau i ni
er i ni dderbyn cymaint rhoesom cyn lleied.
Maddau i ni am osgoi aberthu a hunanymwadu.
Maddau i ni am geisio llwybr hawddfyd
ac osgoi llwybr y groes.
Cymorth ni i ymwadu â'n hunain er mwyn darganfod bywyd yn ei gyflawnder.

53

GWAEDODD

Pedr

Darllen: Luc 23:32-38

Daethpwyd ag eraill hefyd, dau droseddwr, i'w dienyddio gydag ef. Pan ddaethant i'r lle a elwir Y Benglog, yno croeshoeliwyd ef a'r troseddwyr, y naill ar y dde a'r llall ar y chwith iddo. Ac meddai Iesu, "O Dad, maddau iddynt, oherwydd ni wyddant beth y maent yn ei wneud." A bwriasant goelbrennau i rannu ei ddillad. Yr oedd y bobl yn sefyll yno, yn gwylio. Yr oedd aelodau'r Cyngor hwythau yn ei wawdio gan ddweud, "Fe achubodd eraill; achubed ei hun, os ef yw Meseia Duw, yr Etholedig." Daeth y milwyr hefyd ato a'i watwar, gan gynnig gwin sur iddo, a chan ddweud, "Os ti yw Brenin yr Iddewon, achub dy hun." Yr oedd hefyd arysgrif uwch ei ben: "Hwn yw Brenin yr Iddewon."

Myfyrdod

Gwaedodd fy nghyfaill Iesu,
yn hongian ar groes
fel darn o gig,
dafnau o waed yn diferu'n araf i'r llawr,
o'i ben,
o'i ddwylo,
o'i draed.
Gwyliais yn llawn arswyd,
wedi fy mharlysu gan alar,
wrth i'w fywyd ddiflannu o'm blaen.
Yn ddagreuol gofynnais i mi fy hun,
pam?
Pam y caniataodd Duw i hyn ddigwydd?
Pam na chamodd i mewn?
Beth oedd ar ei feddwl?
Ymddangosai'n drosedd,

gwastraff disynnwyr, yn caniatáu i'r gŵr rhyfeddol hwn farw –
heb sôn am farw fel yna!
Chwalwyd fy ffydd am foment,
fy ffydd ynof fi fy hunan,
yn Nuw,
ym mhopeth.
Ond yna cofiais ei eiriau,
y noson gynt wrth dorri bara:
"Hwn yw fy ngwaed, a dywelltir dros lawer, er maddeuant pechodau'
Ac wrth gofio hynny, cofiais y tro arall,
wrth Fôr Galilea wedi iddo fwydo'r tyrfaoedd,
'Ni bydd eisiau bwyd byth ar y sawl sy'n dod ataf fi,
ac ni bydd syched byth ar y sawl sy'n credu ynof fi;
fy nghnawd i yw'r gwir fwyd,a'm gwaed i yw'r wir ddiod'
Bu'r geiriau'n ddirgelwch i mi hyd hynny,
geiriau anodd i'w stumogi os maddeuwch y gair mwys.
Ond yn sydyn wrth droed y groes, dechreuais ddeall,
ychydig,
yn rhannol,
ond digon i beri i mi sylweddoli mai nid ofer hyn i gyd;
fod Iesu'n hongian yno drosof fi,
chi,
pawb.
Rwy'n dal i ofyn pam, cofiwch chi, ni fydd pall ar y cwestiwn hwnnw am wn i,
oherwydd ni allaf ddileu'r darlun o'm meddwl;
y darlun o Iesu yn dioddef ar y Groes.
Pam y ffordd yna Dduw, pam nad ffordd arall?
Ond y rhyfeddod yw na ofynnodd ef, pam?
Dim unwaith yn ystod cyfnod fy adnabyddiaeth ohono.
Buasai wedi hoffi gweld ffordd arall wrth gwrs;
nid oedd yn dymuno marw, dim mwy na neb arall.
Ond offrymodd ei fywyd,
yn rhydd,
o'i wirfodd,
o gariad,
gan gredu y byddai i ni drwy ei farw, fyw.

Gweddi

Arglwydd Iesu,
daethost i'n byd fel goleuni i dywyllwch.
Daethost gan ddwyn bywyd, cariad, gobaith a maddeuant.
Ni ddaethost i gondemnio ond i achub,
nid i farnu ond i drugarhau.
Daethost i oddef y tywyllwch er ein mwyn ni –
tywyllwch unigrwydd a gwrthodiad, bradychu a gwadu.
Arglwydd ,
diolchwn, moliannwn ac addolwn di.

54

GRIDDFANODD

Ioan

Darllen: Marc 15: 22-26, 33-34

Daethant ag ef i'r lle a elwir Golgotha, hynny yw, o'i gyfieithu, "Lle Penglog." Cynigiasant iddo win a myrr ynddo, ond ni chymerodd ef. A chroeshoeliasant ef, a rhanasant ei ddillad, gan fwrw coelbren arnynt i benderfynu beth a gâi pob un. Naw o'r gloch y bore oedd hi pan groeshoeliasant ef. Ac yr oedd arysgrif y cyhuddiad yn ei erbyn yn dweud: "Brenin yr Iddewon." A phan ddaeth yn hanner dydd, bu tywyllwch dros yr holl wlad hyd dri o'r gloch y prynhawn. Ac am dri o'r gloch gwaeddodd Iesu â llef uchel, "Eloï, Eloï, lema sabachthani", hynny yw, o'i gyfieithu, "Fy Nuw, fy Nuw, pam yr wyt wedi fy ngadael?"

Myfyrdod

Griddfanodd,
rhyw sŵn na chlywais erioed o'r blaen,
rhyw sŵn nad wyf am ei glywed eto –
dychrynllyd,
annisgrifiadwy –
sŵn poen annychmygol,
sŵn tristwch llethol,
sŵn unigedd llwyr.
Ni allwn wylio mwyach.
Credais fy mod yn barod amdano,
wedi paratoi am y gwaethaf,
oherwydd gwyddwn y buasai'n rhaid iddo farw.
Ond nid oeddwn yn barod,
nid am hyn;
Ni sylweddolais y gallai pobl ddioddef cymaint,
a bod marwolaeth fel hyn mor arswydus.

Ond gwn yn awr,
a rwy'n dweud wrthych heb betruso,
buaswn wedi tosturio wrth unrhyw un a wynebai hynny –
lleidr,
mygiwr,
llofrudd hyd yn oed!
Fe fyddai fy nghalon wedi gwaedu drostynt.
Ond roedd gweld Iesu yno,
un llawn tynerwch a thosturi,
un a roes iechyd i gleifion
a bywyd i'r meirw,
yn ddigon i'm gorffen i.
beth wnaeth ef i haeddu hyn?
Pa drosedd a gyflawnodd?
Beth oedd ynglŷn â hwn a enynnodd y fath gynnwrf,
ymroddiad,
ac eto y fath gasineb.
Gweddïais ar i Dduw roi terfyn arno,
ond parhaodd y poenydio,
y gwawd
a'r dirmyg
Gwyddwn ei fod yn dioddef,
ond heb sylweddoli maint ei ddioddefaint,
dim nes iddo godi ei ben ac i mi weld yr anobaith yn ei lygaid,
dim nes iddo siarad ac i mi glywed y trallod yn ei lais:
'Fy Nuw fy Nuw, pam yr wyt ti wedi fy ngadael?'
Yna sylweddolais,
a llifodd y gwaed yn oer drwy fy ngwythiennau.
Teimlodd yn unig,
fe'i gadawyd gan y sawl a garodd ac yr ymddiriedodd ynddynt,
hyd yn oed Duw ei hunan.
Gallai ymdopi â'r gweddill –
disgwyliodd hynny hyd yn oed –
ond Duw?
Dyna'r boen derfynol,
poen tu hwnt i eiriau.
Griddfanodd,
sŵn na chlywais erioed o'r blaen,
sŵn a ddeallais erbyn hyn,

sŵn na allwn wrando arno mwyach.

Gweddi

Arglwydd Iesu Grist,
dioddefaist gymaint drosom,
poen meddwl yn ogystal â chorfforol;
poen gwawd a gwrthodiad,
poen bradychu, gwadu a chamddeall;
poen fflangellu a'r goron o ddrain,
yr hoelion yn dy ddwylo a'th draed;
poen hongian ar groesbren.
Arglwydd,
wrth i ni ddathlu yr hyn a roddaist i ni,
na ad i ni anghofio'r pris.

55

YR OEDD YN ARBENNIG

Y Canwriad

Darllen: Luc 23: 44-47

Erbyn hyn yr oedd hi tua hanner dydd. Daeth tywyllwch dros yr holl wlad hyd dri o'r gloch y prynhawn, a'r haul wedi diffodd. Rhwygwyd llen y deml yn ei chanol. Llefodd Iesu â llef uchel, "O Dad, i'th ddwylo di yr wyf yn cyflwyno fy ysbryd." A chan ddweud hyn bu farw. Pan welodd y canwriad yr hyn oedd wedi digwydd, dechreuodd ogoneddu Duw a dweud, "Yn wir, dyn cyfiawn oedd hwn."

Myfyrdod

Yr oedd yn arbennig, dyna'i gyd a ddywedaf i,
ac nid wyf yn un i ganmol fel y gŵyr pawb.
Gwelais bob siort,
gwehilion cymdeithas,
llofruddion, treiswyr, lladron.
Sylwais arnynt i gyd yn dioddef heb owns o gydwybod.
Gwynt teg ar eu holau, felly y gwelais i bethau.
Felly, y teimlais ynglŷn â hwn, i gychwyn.
Gwrthryfelwr arall.
Dylai fod wedi ystyried yn ofalus,
cyn codi gobeithion a chodi twrw.
Ond wrth ei wylio newidiodd hynny i gyd;
ni allech ond cael argraff wahanol.
Roedd rhywbeth ynglŷn â hwn –
yr urddas tawel,
y tawelwch hunanfeddiannol,
y gwroldeb digyfaddawd.
Ni allai dim ei ysgwyd –
nid y gwawd a'r poeri,
nid y celwydd a'r gwatwar,
nid y fflangellu a'r croesholi,

nid hyd yn oed y goron o ddrain a blethwyd am ei ben.
A phan ddaeth i'r diwedd,
wrth faglu dan y groes,
y gwaed yn tasgu o'i ddwylo a'i draed,
a'r bywyd yn cael ei sugno ohono,
ni newidiodd.
Yn wir rhoes ei feddwl yn fwy ar eraill
nag arno ef ei hun!
Rhoes amser i un o'r ddau walch a grogodd o boptu iddo,
amser i'w fam, a'i gyfeillion,
amser i'r bobl a safodd i syllu,
amser i bobl fel ni, hyd yn oed.
Rhyfeddol!
Mab Duw yn ôl rhai.
A wyddoch chi beth, rwy'n credu eu bod nhw'n iawn.
Yr oedd yn arbennig, does dim amheuaeth am hynny.

Gweddi

Duw Cariad,
cofiwn gyda diolch am ffyddlondeb Iesu –
ei ffyddlondeb hyd y diwedd,
ei barodrwydd i gerdded ffordd y Groes,
ei wroldeb yn wyneb gwrthwynebiad, dioddefaint ac angau.
Cymorth ni i ymateb, a chysegru ein bywydau yn ei wasanaeth.
Cymorth ni i fod yn wirioneddol ddiolchgar am yr hyn a wnaeth a'r hyn y mae'n parhau i'w wneud.
Cymorth ni i'w gydnabod yn Arglwydd a Gwaredwr,
ac i fyw fel ei ddisgyblion heddiw.

56

YR OEDD YN DAWEL

Mair, gwraig Clopas

Darllen: Ioan 19: 25, 28-30

Ond yn ymyl croes Iesu yr oedd ei fam ef yn sefyll gyda'i chwaer, Mair gwraig Clopas, a Mair Magdalen. Ar ôl hyn yr oedd Iesu'n gwybod bod pob peth bellach wedi ei orffen, ac er mwyn i'r Ysgrythur gael ei chyflawni dywedodd, "Y mae arnaf syched." Yr oedd llestr ar lawr yno, yn llawn o win sur, a dyma hwy yn dodi ysbwng, wedi ei lenwi â'r gwin yma, ar ddarn o isop, a'i godi at ei wefusau. Yna, wedi iddo gymryd y gwin, dywedodd Iesu, "Gorffennwyd." Gwyrodd ei ben, a rhoi i fyny ei ysbryd.

Myfyrdod

Yr oedd yn dawel,
yn hollol lonydd,
ei gorff llipa a difywyd,
fel cadach.
Diolchais i Dduw fod y cyfan drosodd,
fod y boen ar ben.
Ond symudodd eto,
rhyw dro bach sydyn,
olion olaf o fywyd,
ond digon i gynnal ein gobeithion,
digon i gynnal ei boen.
Yr oedd yn dal i anadlu,
yn dal i ddioddef.
Safasom i wylio gyda dymuniadau cymysg –
y dymuniad i'w weld yn disgyn o'i groes er mwyn profi ei allu i'w elynion;
ein dymuniad i'w weld yn profi heddwch yng nglyn cysgod angau.
Yn sydyn agorodd ei lygaid,
yn llydan,

yn loyw,
yn fuddugoliaethus;
yr oedd ei wefusau'n symud,
yn awyddus,
yn orfoleddus;
a daeth sŵn ei lais:
'Gorffennwyd'
Cydnabod ei fethiant medd rhai yn ddiweddarach,
ei gri anobeithiol olaf.
Ond nid i'r sawl a'i clywodd,
nid i'r sawl a chlustiau i wrando.
Yr oedd hyn yn wahanol –
fel heulwen wedi'r storm,
fel glaw wedi'r sychder,
fel chwerthin wedi'r dagrau –
a'r cwbl mor annisgwyl.
Fe blygodd a gorchfygu,
mentrodd y cyfan a llwyddo.
Roedd methiant yn fuddugoliaeth,
tywyllwch yn oleuni,
angau yn fywyd,
Ni allaf honni i mi
weld hynny ar y pryd.
Ond yr hyn a welais gydag eglurder mawr,
oedd ei fod tan hynny wedi byw
gyda'r baich o ddal tynged byd
a gobeithio y gallai ddal ati.
O'r diwedd fe wnaeth –
anrhydeddodd ei alwad,
cyflawnodd ei waith,
cerddodd lwybr y groes.
Gorffennwyd,
â chân yn ei galon a llawenydd yn ei lygaid
crymodd ei ben ac ildiodd ei ysbryd.

Gweddi

Arglwydd Iesu,

Cofiwn eto yr wythnos fawr cyn y groes.
Cofiwn dy boen wrth wynebu'r bradychu,
gwadu, gwrthodiad a'r gwrthgiliad.
Cyffeswn gyda chywilydd fod ein hanffyddlondeb,
ein gwendid a'n pechod wedi ychwanegu at dy boen.
Arglwydd,
trugarha wrthym a chynorthwya ni i'th ddilyn yn ffyddlonach.

57

BU FARW

Iago

Darllen: Marc 15:33-37

A phan ddaeth yn hanner dydd, bu tywyllwch dros yr holl wlad hyd dri o'r gloch y prynhawn. Ac am dri o'r gloch gwaeddodd Iesu â llef uchel, "Eloï, Eloï, lema sabachthani", hynny yw, o'i gyfieithu, "Fy Nuw, fy Nuw, pam yr wyt wedi fy ngadael?" O glywed hyn, meddai rhai o'r sawl oedd yn sefyll gerllaw, "Clywch, y mae'n galw ar Elias." Rhedodd rhywun a llenwi ysbwng â gwin sur a'i ddodi ar flaen gwialen a'i gynnig iddo i'w yfed. "Gadewch inni weld," meddai, "a ddaw Elias i'w dynnu ef i lawr." Ond rhoes Iesu lef uchel, a bu farw.

Myfyrdod

Bu farw, a rwy'n dal i fethu credu.
Daliais i obeithio mai breuddwyd ydoedd,
y buaswn yn dihuno a chael ein bod i gyd gyda'n gilydd eto;
ar y mynydd wrth iddo bregethu i'r dorf,
yn y cwch pan ostegodd y storm,
ar y ffordd pan iachaodd y cleifion,
yn yr oruwch-ystafell wrth i ni gyd-fwyta.
Ond ni ddeffrais a sylweddoli nad breuddwyd ydoedd, yr oedd yn ffaith.
Eto ni allwn ei dderbyn;
Roeddwn i'n aros am wyrth arall,
yn disgwyl iddo ddisgyn o'i groes
a sychu'r wên o'u hwynebau,
yn aros i Dduw wneud rhywbeth, unrhyw beth i rwystro'r gwallgofrwydd hwn.
Nid wyf yn deall byth.
Pam bu'n rhaid iddo farw?
Pam gwastraffu bywyd hardd?
Nid yw'n gwneud synnwyr i mi.
Ond yr oedd yn gwneud synnwyr iddo ef, dyna'r peth rhyfedd.

Rhybuddiodd ni ganwaith,
hyd yn oed awgrymu y dylen groesawu'r ffaith.
Wel, y mae wedi digwydd nawr,
mae'r cyfan drosodd.
Bûm yn dyst i'r anadl olaf,
clywais y gri olaf,
gwyliais hwy yn gyrru'r waywffon i'w ystlys,
Yr oeddwn yno, pan gymerwyd ef i lawr, yn llipa a difywyd,
gwelais hwy'n treiglo'r maen ar draws y bedd.
Rwy'n dal i fethu credu,
ond gwelais y peth â'm llygaid fy hun.
Bu farw.

Gweddi

Arglwydd Iesu,
rhoddaist dy hun drosom ni.
Nid yr ychydig ond y cyfan,
offrymu dy fywyd dros fywyd y byd.
Troediaist ffordd y Groes a dioddef ing marwolaeth.
Profaist boen y bradychu, a dolur y gwadu,
y tristwch o weld dy gyfeillion yn cefnu arnat.
Maddau i ni am ein cyndynrwydd i offrymu dim i ti.
Maddau i ni am ddal yn ôl a rhoi'r gweddillion yn unig i ti.
Arglwydd,
cerddaist bob cam o'r ffordd er ein mwyn –
cymorth ninnau i gerdded rhan o'r ffordd i'th gyfarfod.

58

ROEDD Y CYFAN AR BEN

Mair Magdaalen

Darllen: Ioan 19:25, 28-30

Ond yn ymyl croes Iesu yr oedd ei fam ef yn sefyll gyda'i chwaer, Mair gwraig Clopas, a Mair Magdalen. Ar ôl hyn yr oedd Iesu'n gwybod bod pob peth bellach wedi ei orffen, ac er mwyn i'r Ysgrythur gael ei chyflawni dywedodd, "Y mae arnaf syched." Yr oedd llestr ar lawr yno, yn llawn o win sur, a dyma hwy yn dodi ysbwng, wedi ei lenwi â'r gwin yma, ar ddarn o isop, a'i godi at ei wefusau. Yna, wedi iddo gymryd y gwin, dywedodd Iesu, "Gorffennwyd." Gwyrodd ei ben, a rhoi i fyny ei ysbryd.

Myfyrdod

Roedd y cyfan ar ben,
gorffennwyd –
deng mlynedd ar hugain o fywyd,
tair blynedd o weinidogaeth,
saith niwrnod o helbul,
chwe awr o ing,
ar ben o'r diwedd –
ac ni allwn ei gredu.
Ydi, mae'n swnio'n wirion, a minnau wedi sefyll yno a'i wylio'n marw,
wedi eu gweld yn gyrru'r hoelion i'w ddwylo,
gwylio'r waywffon yn hyrddio i'w ystlys,
a thystio i'w anadl olaf.
Beth arall oedd i'w ddisgwyl, gofynnwch?
Pa ddiwedd arall allai fod?
A rwy'n deall hynny i gyd, oherwydd gwyddwn ei fod yn marw.
Ond pan ddigwyddodd,
pan ddaeth y diwedd,
yr oeddwn wedi fferru,
wedi fy mharlysu gan alar.

Ni ymddangosai'n bosibl y gallai'r dyn hwn Iesu,
yr un yr oeddem yn ei adnabod a'i garu,
yr un yr oeddem wedi ymddiried ynddo a'i ddilyn,
yr un fu'n ganolbwynt ein bywyd,
fod wedi ei ddwyn oddi arnom,
heb obaith ei weld byth mwy.
Nid nad ydoedd wedi ein paratoi am hyn,
siaradodd am fywyd nes i ni gael llond bol ar y peth.
Roeddem yn wirioneddol gredu ein bod yn barod,
ac wedi dygymod â'r anorfod
a pharatoi ar gyfer y gwaethaf.
Ond doedden ni ddim.
Un peth yw damcaniaethu,
peth arall yw wynebu'r gwirionedd.
Sylweddolais wrth sefyll yno,
y dagrau'n llifo,
ein calonnau wedi torri,
ein bod wedi disgwyl i bopeth fod yn iawn yn y diwedd,
ac y byddai'n cael y trechaf ar y Phariseaid a'u tebyg.
Ond nid felly y bu.
Yr oedd y cyfan ar ben,
gorffennwyd,
yn union fel y dywedodd,
ac ni allwn wneud synnwyr o'r peth.
Ond daliais fy ngafael ar un peth ers hynny;
un atgof a ddaeth â chysur mawr i mi yn yr oriau tywyll,
a hynny yw ei eiriau olaf,
'Gorffennwyd' gwaeddodd.
'Gorffennwyd!'
Geiriau a lefarwyd nid o dristwch,
nid o ddicter,
ond o ddiolchgarwch,
fel pe tai wedi cyflawni bwriad ei ddyfodiad i'r byd.

Gweddi

Arglwydd,
a ninnau'n byw yng ngoleuni'r Pasg

mae'n bosibl i ni golli golwg ar dywyllwch y Groglith.
Ond i'r sawl a fu'n rhan o'r digwyddiadau does dim amheuaeth,
dim dianc rhag erchylltra'r groes.
Iddynt hwy dyma ddiwedd y freuddwyd,
iddynt hwy dyma'r awr dywyllaf.
Ond hyd yn oed yno, yr oeddet ti ar waith,
yn rhannu dy gariad â phawb.
Arglwydd Iesu,
dysg i ni, pan yw bywyd yn dywyll
fod dy oleuni di yn parhau i ddisgleirio.

59

DYMA'R PETH LLEIAF Y GALLWN FOD WEDI EI WNEUD

Joseff o Arimathea

Darllen: Mathew 27: 57-60

Pan aeth yn hwyr, daeth dyn cyfoethog o Arimathea o'r enw Joseff, a oedd yntau wedi dod yn ddisgybl i Iesu. Aeth hwn at Pilat a gofyn am gorff Iesu; yna gorchmynnodd Pilat ei roi iddo. Cymerodd Joseff y corff a'i amdói mewn lliain glân, a'i osod yn ei fedd newydd ef ei hun, yr oedd wedi ei naddu yn y graig. Yna treiglodd faen mawr wrth ddrws y bedd ac aeth ymaith.

Myfyrdod

Dyma'r peth lleiaf y gallwn fod wedi ei wneud,
y lleiaf un.
Fe ddylwn fod wedi gwneud mwy,
fe wn i hynny'n iawn.
Dylwn fod wedi codi ar lawr y Cyngor,
apelio arnynt i ailystyried,
fe ddylwn fod wedi datgan fy ffydd.
Fe ddylwn fod wedi hysbysu Peilat o'u cynllwyn,
ymbil arno ddangos trugaredd,
egluro pa fath o deyrnas y soniai Iesu amdani.
Ond wnes i ddim.
Ni ddywedais yr un gair, dim ond gwylio a gwrando;
gwneud dim ond cadw'n ddistaw;
Llechais yn y cysgodion,
gwylio o'r tu allan,
cnoi fy nhafod,
a gadael iddynt groeshoelio'r Meseia.
A allai fod wedi bod yn wahanol?
A fyddai fy ymyrraeth wedi newid rhywbeth?
Rwy'n amau,

nid yn eu cyflwr meddwl hwy –
seliwyd ei dynged ymhell cyn hyn
ac nid oedd neb yn mynd i gael dwyn y cyfle hwn oddi wrthynt.
Ond er i mi geisio esgusodi fy hun,
nid yw'n fawr o gymorth,
oherwydd gwn yn fy nghalon i mi ei adael ar y clwt.
Pan ddaeth y cyfle i mi ddatgan fy nheyrngarwch, gwn i mi lwfrhau;
Doeddwn i ddim yn poeni am neb ond fi fy hun.
Mi wn fod hynny'n ddealladwy,
ac y byddech chithau wedi gwneud yr un fath mwy na thebyg,
ond nid dyna'r pwynt.
Y fi sydd dan sylw ar hyn o bryd,
y fi fydd yn gorfod byw gyda'm llwfrdra,
a hynny hyd ddiwedd fy oes,
a dyna paham rwy'n gweithredu nawr
ac yn cynnig y bedd ar gyfer ei gladdu.
Nid yw'n llawer, mi wn i hynny hefyd,
rhyw godi'r bais....fel pe tai.
Ond dyna i gyd sydd ar ôl,
arwydd bychan o'm hedifeirwch,
rhywbeth bach i dawelu'r gydwybod.
Rwyf wedi blino cuddio,
wedi cael digon ar chwarae mig gyda'r Ffydd.
Aeth pob gofal i'r gwynt a dangosais fy lliwiau.
Fe gyst fy swydd, efallai,
fe gyst fy mywyd, hwyrach;
ond os gallai Iesu o'i wirfodd aberthu'r cyfan drosof fi
sy'n haeddu cyn lleied,
does bosib na allaf fi wneud rhywbeth dros un sy'n haeddu cymaint.

Gweddi

Arglwydd Iesu, fe'th siomwn mor aml,
gwrthodwn ymgysegru fel y teilyngi,
gwrthodwn ddatgan ein ffydd pan ddaw cyfle.
Er bod yr ysbryd yn barod, y mae'r cnawd yn wan.
O! Arglwydd,
gwyddom, fel Joseff o Arimathea,

i ni gefnu arnat.
Er hynny, dysg i ni nad ydyw fyth rhy hwyr
i wneud iawn am gamgymeriadau'r gorffennol
byth yn rhy hwyr i roi ein hunain yn llwyr i ti.

Y PASG

60

DYWEDONT EI FOD YN FYW

Pedr

Darllen: Luc 24:1-11

Ar y Saboth buont yn gorffwys yn ôl y gorchymyn. Ar y dydd cyntaf o'r wythnos, ar doriad gwawr, daethant at y bedd gan ddwyn y peraroglau yr oeddent wedi eu paratoi. Cawsant y maen wedi ei dreiglo i ffwrdd oddi wrth y bedd, ond pan aethant i mewn ni chawsant gorff yr Arglwydd Iesu. Yna, a hwy mewn penbleth ynglŷn â hyn, dyma ddau ddyn yn ymddangos iddynt mewn gwisgoedd llachar. Daeth ofn arnynt, a phlygasant eu hwynebau tua'r ddaear. Meddai'r dynion wrthynt, "Pam yr ydych yn ceisio ymhlith y meirw yr hwn sy'n fyw? Nid yw ef yma; y mae wedi ei gyfodi. Cofiwch fel y llefarodd wrthych tra oedd eto yng Ngalilea, gan ddweud ei bod yn rhaid i Fab y Dyn gael ei draddodi i ddwylo dynion pechadurus, a'i groeshoelio, a'r trydydd dydd atgyfodi." A daeth ei eiriau ef i'w cof. Dychwelasant o'r bedd, ac adrodd yr holl bethau hyn wrth yr un ar ddeg ac wrth y lleill i gyd. Mair Magdalen a Joanna a Mair mam Iago oedd y gwragedd hyn; a'r un pethau a ddywedodd y gwragedd eraill hefyd, oedd gyda hwy, wrth yr apostolion. Ond i'w tyb hwy, lol oedd yr hanesion hyn, a gwrthodasant gredu'r gwragedd.

Myfyrdod

Dywedont ei fod yn fyw! Allwch chi gredu hynny?
Gwn iddynt siomi yn wyneb yr hyn a ddigwyddodd,
ond roeddem ni gyd wedi siomi, pawb ohonom.
Roeddem ni yn ei garu,
credu ei fod yn arbennig,
a gobeithio mai hwn oedd yr un yr oeddem yn ei ddisgwyl.
Fe'n chwalwyd ni gan yr hyn a ddigwyddodd.
Roedd gennym gydymdeimlad â hwy,
gwyddem sut oeddent yn teimlo.
Ond y mae'n rhaid i bawb wynebu'r ffeithiau.

Does dim diben cuddio'n pennau yn y tywod a thwyllo'n hunain.
Fe'i gwelsom yn sgrechian mewn poen,
a'i glywed yn anadlu'r anadl olaf,
ac roeddem ni yno pan osodwyd ef yn ei fedd.
O hirbell, mae hynny'n wir – gan gadw o'r golwg, rhag ofn,
ond yr oedd wedi marw, heb os nac oni bai.
Felly, beth oedd ystryw'r merched yn honni ei fod yn fyw?
Doedden nhw ddim yn disgwyl i ni gredu does bosib?
Mae'n debyg iddynt gael y cyfan yn ormod iddynt,
ac mae'n sïwr eu bod yn gwallgofi.
Merched! Maent yn sicr o blygu dan bwysau.
Does dim rhyfedd i Iesu ddewis dynion fel disgyblion –
synhwyrol, cytbwys, traed yn gadarn ar y ddaear.
Iesu'n fyw! Fe garem ni gredu, wrth gwrs.
Ond lol yw'r cyfan, gall unrhyw ffŵl weld hynny.

Fersiwn ar gyfer tri llais

Pedr: Dywedont ei fod yn fyw! Allwch chi gredu hynny?

Ioan: Iawn, rwy'n gwybod iddynt gael eu siomi oherwydd yr hyn a ddigwyddodd.

Iago: Ond yna, roeddem ni gyd wedi'n siomi, bawb ohonom.

Pedr: Roeddem ni yn ei garu.

Ioan: Roeddem ni gyd yn credu ei fod yn arbennig.

Iago: Yn gobeithio mai hwn oedd yr un yr oeddem yn ei ddisgwyl.

Pedr: Fe'n chwalwyd gan yr hyn a ddigwyddodd.

Ioan: Gallem ddeall sut oeddent yn teimlo.

Pedr: Ond y mae'n rhaid i chi wynebu'r ffeithiau wedi'r cyfan.

Ioan: Does dim pwrpas cuddio'ch pen a thwyllo eich hunan

Iago: Na, does dim diben pan wyddoch chi'r stori yn iawn.

Pedr: Ac yr oeddem ni'n gwybod, credwch fi.

Ioan: Fe'i gwelsom yn sgrechian mewn poen.

Iago: Fe'i clywsom yn tynnu ei anadl olaf.

Pedr: Roeddem yno pan osodwyd ef yn ei fedd.

Iago: O hirbell, ddigon gwir, yn cadw allan o'r golwg, rhag ofn.

Ioan: Ond yr oedd wedi marw heb os nac oni bai.

Pedr: Felly, beth oedd ystryw'r merched yn honni ei fod yn fyw

Ioan: Doedden nhw ddim yn disgwyl i ni gredu does bosib?

Pedr: Mae'n debyg i'r cyfan fynd yn ormod iddynt, mae'n sïwr eu bod yn gwallgofi.

Iago: Merched! Maent yn sicr o blygu dan bwysau bob amser

Ioan: Does dim ryfedd i Iesu ddewis dynion fel disgyblion, - synhwyrol, cytbwys, traed yn gadarn ar y ddaear.

Pedr: Iesu'n fyw! Fe garem ni gredu, wrth gwrs.

Ioan: Ond lol yw'r cyfan, gall unrhyw ffŵl weld hynny

Gweddi

Arglwydd Iesu,
wrth ddarllen am dy atgyfodiad
yr ydym ninnau fel dy ddisgyblion yn gyndyn i gredu.
Er yn dymuno credu, rydym yn ofni credu.
Ond eto, fel y disgyblion cyntaf, yr ydym wedi profi dy rym

atgyfodedig.
daethom wyneb yn wyneb a'th bresenoldeb byw –
gwyddom y gwirionedd
nid am fod rhywun wedi adrodd yr hanes
ond am i ni ei brofi.
Arglwydd, y mae gennym newydd i'w rannu.
Helpa ni i'w rannu!

61

CEFAIS FY NRYLLIO

Mair Magdalen

Darllen: Ioan 20:11-18

Ond yr oedd Mair yn dal i sefyll y tu allan i'r bedd, yn wylo. Wrth iddi wylo felly, plygodd i edrych i mewn i'r bedd, a gwelodd ddau angel mewn dillad gwyn yn eistedd lle'r oedd corff Iesu wedi bod yn gorwedd, un wrth y pen a'r llall wrth y traed. Ac meddai'r rhain wrthi, "Wraig, pam yr wyt yn wylo?" Atebodd hwy, "Y maent wedi cymryd fy Arglwydd i ffwrdd, ac ni wn lle y maent wedi ei roi i orwedd." Wedi iddi ddweud hyn, troes yn ei hôl, a gwelodd Iesu yn sefyll yno, ond heb sylweddoli mai Iesu ydoedd. "Wraig," meddai Iesu wrthi, "pam yr wyt ti'n wylo? Pwy yr wyt yn ei geisio?" Gan feddwl mai'r garddwr ydoedd, dywedodd hithau wrtho, "Os mai ti, syr, a'i cymerodd ef, dywed wrthyf lle y rhoddaist ef i orwedd, ac fe'i cymeraf fi ef i'm gofal." Meddai Iesu wrthi, "Mair." Troes hithau, ac meddai wrtho yn iaith yr Iddewon, "Rabbwni" (hynny yw, Athro). Meddai Iesu wrthi, "Paid â glynu wrthyf, oherwydd nid wyf eto wedi esgyn at y Tad. Ond dos at fy mrodyr, a dywed wrthynt, 'Yr wyf yn esgyn at fy Nhad i a'ch Tad chwi, fy Nuw i a'ch Duw chwi.'" Ac aeth Mair Magdalen i gyhoeddi'r newydd i'r disgyblion. "Yr wyf wedi gweld yr Arglwydd," meddai, ac eglurodd ei fod wedi dweud y geiriau hyn wrthi.

Myfyrdod

Cefais fy nryllio ar y pryd,
tu hwnt i bob cysur.
Yr oedd fy myd ar chwâl a dim bwrpas i fywyd.
Sut fedrent wneud hyn iddo, gofynnais i mi fy hun?
Sut allent ddifetha un mor addfwyn a thyner,
mor ofalus,
mor dda?
Ond fe wnaethon nhw.
Gwelais y peth fy hun,

gwyliais wrth iddo dynnu ei anadl olaf;
ac yr oedd yn ofnadwy,
rhy erchyll i mi ei ddisgrifio byth.
Nid yn unig y boen a ddioddefodd
ond unigrwydd y cyfan –
sefyll ei hun gerbron Peilat,
cyfeillion wedi cefnu,
un dyn yn erbyn ymherodraeth;
yn griddfan dan lach y fflangell,
neb i'w gysuro,
neb i roi balm ar y clwyfau;
teimlais ar y pryd na fyddai'n bosibl anghofio'r olygfa a welais,
ac y buasai'n fy nilyn hyd fy medd.
Ie, felly y tybiais cyn i rywbeth cwbl annisgwyl ddigwydd.
Yn hunllef fy ngalar, wele belydryn o heulwen,
ac yna lawenydd yn fy nhrochi yn ei oleuni.
Un foment anobaith,
yna fe dreiglwyd y maen,
y bedd gwag,
y dieithryn yn ymddangos o'r cysgodion,
a'r llais cyfarwydd yn galw fy enw.
Un foment dagrau,
a'r nesaf chwerthin.
Un foment angau,
a'r nesaf bywyd.
Ac yn awr y mae fy nghalon yn llamu o orfoledd.
Y mae'n rhaid i mi atgoffa fy hun yn gyson mai nid breuddwyd mo'r cyfan.
Y mae'n wir!
Bu farw a choncrodd farwolaeth!
Credais yn wir fod bywyd ar ben,
nid unig iddo ef ond i minnau hefyd!
Ond nid y diwedd mohono;
dim ond y dechrau.

Gweddi

Rasol Dad,

diolchwn i ti am fod gyda ni ar hyd y daith,
yn y dyddiau drwg yn ogystal â'r da.
y dyddiau anodd yn ogystal â'r hawdd,
y dyddiau trist yn ogystal â'r llawen.
Er i ni fod yn ansicr o'r ffordd ymlaen,
diolchwn am dy arweiniad;
er i ni ddigalonni,
diolchwn i ti am ein hysbrydoli;
er i ni anobeithio,
diolchwn i ti am blannu gobaith ynom.
Diolchwn am sicrwydd a ddaw yn sgil y Pasg,
fod dy gariad yn ddiderfyn,
fod dy drugareddau yn ddi-ball,
fod dy ffyddlondeb yn ddi-sigl.
Rho i ni hyder i wynebu popeth a ddaw,
y siomedigaethau a brofwn,
y profedigaethau a ddaw i'n rhan.
Rho i ni wybod dy fod ti gyda ni
hyd ddiwedd y byd.

62

WRANDAWAN NHW DDIM

Mair Magdalen

Darllen: Marc 16:9-11

Ar ôl atgyfodi yn fore ar y dydd cyntaf o'r wythnos, ymddangosodd yn gyntaf i Fair Magdalen, gwraig yr oedd wedi bwrw saith gythraul ohoni. Aeth hi a dweud y newydd wrth ei ganlynwyr yn eu galar a'u dagrau. A'r rheini, pan glywsant ei fod yn fyw ac wedi ei weld ganddi hi, ni chredasant.

Myfyrdod

Wrandawan nhw ddim, gallaf warantu hynny i chi.
Buont yn amheus ohonof fi erioed, o'r cychwyn cyntaf,
yn amau doethineb Iesu
yn cymysgu a rhywun fel fi.
Gwn yn iawn beth ddywedan nhw.
'Eisiau bod yn ganolbwynt y sylw fel arfer'
'Aeth dolur serch yn drech na hi'
Ni allaf eu beio;
ni wnaeth fy mhresenoldeb i fawr o les i'w achos.
Gallai'r Phariseaid oddef ychydig o gasglwyr trethi,
ond y fi, dyna fyddai tarfu'r colomennod.
Gwyddwn am y sibrydion,
a pha mor hawdd oedd beirniadu.
Efallai y dylwn fod wedi cadw draw,
cadw fy mhellter,
ond roeddwn yn ei garu.
Nid caru yn ôl eu diffiniad cyfyng nhw,
ond cariad dyfnach na hwnnw,
cariad na wyddwn erioed am ei fodolaeth.
Ond nid oedd hyd yn oed y disgyblion yn medru ymddiried ynof,
roeddent yn cael anhawster i faddau'r gorffennol.
Gallaf ddeall hynny –

a bod yn onest, rwy'n cael anhawster i faddau iddynt hwythau am ddianc,
a'i adael yn awr ei angen fwyaf.
Ond rwy'n dal gafael yn y geiriau a glywais o'r groes.
'Dad, maddau iddynt, ni wyddant beth y maent yn ei wneud'
Deallodd ef
ein bod i gyd yn annheilwng,
neb ohonom yn berffaith,
eto fe faddeuodd i ni a'n caru ar waetha'r cyfan.
Credais i mi ei golli,
yr unig un a'm derbyniodd i erioed,
yr unig un a'm deallodd,
yr unig un a'm cefnogodd.
Ond daeth ataf fi.
Yn yr ardd a minnau wedi fy llethu gan alar,
daeth ataf, ac fe anwyd gobaith ynof o'r newydd.
Roedd hi'n anodd credu ar y cychwyn.
Yr oedd y llais yn gyfarwydd,
yr wyneb,
y llygaid,
ond na, mae'n rhaid mai'r garddwr ydoedd,
unrhyw un ond Iesu.
Ac fe wnânt hwythau yr un fath,
dweud wrthyf mod i wedi gwneud camgymeriad,
fy mod i wedi blino,
yn rhy barod i gredu rhywbeth.
Wrandawan nhw ddim, gallaf warantu hynny,
ond dyna fe, rwyf wedi arfer erbyn hyn.
Does dim ots bellach,
oherwydd fe'm derbyniodd i
fel y derbyniodd hwynt,
fel y mae'n derbyn pawb sy'n barod i ymateb i'w gariad
a derbyn ei faddeuant.

Gweddi

Duw Cariad,
diolch am fuddugoliaeth fawr y Pasg –

buddugoliaeth Crist dros ddrygioni, pechod, casineb,
dros dywyllwch a thros angau.
Diolch am y sicrwydd o fywyd newydd a maddeuant.
Felly, yn awr, cyffeswn ein beiau,
cydnabyddwn ein gwendid,
sylweddolwn dy ffyddlondeb,
cyflwynwn ein hunain i ti
gan gredu yn dy gariad a'th nerth adferol.

63

TREIGLWYD Y MAEN

Salome

Darllen: Marc 16:1-4

Wedi i'r Saboth fynd heibio, prynodd Mair Magdalen, a Mair mam Iago, a Salome, beraroglau, er mwyn mynd i'w eneinio ef. Ac yn fore iawn ar y dydd cyntaf o'r wythnos, a'r haul newydd godi, dyma hwy'n dod at y bedd. Ac meddent wrth ei gilydd, "Pwy a dreigla'r maen i ffwrdd i ni oddi wrth ddrws y bedd?" Ond wedi edrych i fyny, gwelsant fod y maen wedi ei dreiglo i ffwrdd; oherwydd yr oedd yn un mawr iawn.

Myfyrdod

Treiglwyd y maen.
Ni wn i sut,
heb sôn am ystyr hyn i gyd,
ond fe'i gwelsom ein hunain,
y bedd agored,
bron yn ein gwahodd i fynd i mewn.
A dyna i chi ryddhad a deimlais.
Ar y ffordd yno buom yn dyfalu sut gallem fynd i mewn,
a ninnau'n gwybod na allem symud y maen ein hunain,
yn sicr nid ar ôl gweld dynion cryfion yn ymdrechu i'w gosod yn ei lle.
Ond fe aethom beth bynnag,
yn awyddus i wneud rhywbeth,
rhywbeth i fynegi'n galar.
Cyfle arall hwyrach i edrych ar y dyn yr oeddem wedi'i garu;
ei eneinio gyda'r sylw a haeddai.
Ond am syndod a gawsom.
Mair rwy'n credu aeth i mewn gyntaf,
a synhwyrais fod rhywbeth yn bod,
ond nid oeddwn yn barod am yr hyn a welais,
neu yr hyn na welais!

Yr oedd wedi diflannu,
a dim ond yr amdo ar ôl i ddynodi'r fan lle gorweddodd.
Yr oeddem yn fud,
pawb ohonom,
heb wybod beth i'w feddwl a beth i'w wneud.
Ac yna dyma'r dyn yma'n ymddangos –
peidiwch â gofyn i mi pwy –
gofynnodd i ni am beth yr oeddwn yn chwilio
fel na phe tai hynny'n ddigon amlwg.
Dywedodd wrthym am chwilio yn rhywle arall, -
rhywbeth ynglŷn â pheidio ceisio'r byw ymhlith y meirw!
Cawsom ein syfrdanu;
fe safon ni yno am oesau,
yn ceisio cuddio'n hembaras,
a cheisio rhwystro'n dwylo rhag crynu.
Ond fe aethom ym mhen hir a hwyr,
i Galilea yn ôl y cyfarwyddyd;
yr apostolion hefyd, wedi iddynt ddod dros eu hanghrediniaeth.
Ac yno yr ydoedd –
fel y dywedwyd wrthym –
Iesu!
Wedi atgyfodi!
Yn fyw!
Y Concwerwr!
Treiglwyd y maen, ni wn i sut,
ond gwn yn awr beth yw ystyr y cyfan –
i Dduw bo'r diolch, rwy'n gwybod!

Gweddi

O Dduw Byw,
moliannwn di am ryfeddod y Pasg –
dydd i ddathlu, rhyfeddu a diolch –
dydd sy'n newid ein ffordd o weithredu,
dydd sy'n newid ein ffordd o fyw,
dydd sy'n newid popeth.
Gorfoleddwn ym muddugoliaeth Iesu Grist,
ei goncwest dros bechod, anobaith a hyd yn oedd angau ei hun.

Moliannwn di,
am na all dim mewn bywyd nac angau
ein gwahanu oddi wrth dy gariad di.

64

BETH OEDD Y GÊM

Yr Archoffeiriad

Darllen Mathew 28: 1-8, 11

Ar ôl y Saboth, a dydd cyntaf yr wythnos ar wawrio, daeth Mair Magdalen a'r Fair arall i edrych ar y bedd. A bu daeargryn mawr; daeth angel yr Arglwydd i lawr o'r nef, ac aeth at y maen a'i dreiglo i ffwrdd ac eistedd arno. Yr oedd ei wedd fel mellten a'i wisg yn wyn fel eira. Yn eu dychryn o'i weld, crynodd y gwarchodwyr, ac aethant fel dynion marw. Ond llefarodd yr angel wrh y gwragedd: "Peidiwch chwi ag ofni," meddai. "Gwn mai ceisio Iesu, a groeshoeliwyd yr ydych. Nid yw ef yma, oherwydd y mae wedi ei gyfodi, fel y dywedodd y byddai; dewch i weld y man lle y bu'n gorwedd. Ac yna ewch ar frys i ddweud wrth ei ddisgyblion, 'Y mae wedi ei gyfodi oddi wrth y meirw, ac yn awr y mae'n mynd o'ch blaen chwi i Galilea; yno y gwelwch ef.' Dyna fy neges i chwi." Aethant ymaith ar frys oddi wrth y bedd, mewn ofn a llawenydd mawr, a rhedeg i ddweud wrth ei ddisgyblion. Tra oedd y gwragedd ar eu ffordd, dyma rai o'r gwarchodlu yn mynd i'r ddinas ac yn dweud wrth y prif offeiriaid am yr holl bethau a ddigwyddodd.

Myfyrdod

Beth oedd y gêm?
Beth oedd ar eu meddyliau?
Roeddem wedi ofni rhywbeth fel hyn,
cynllwyn i ddwyn ei gorff,
honni iddo atgyfodi;
felly, buom yn ofalus,
a threfnu gwarchodwyr i sefyll yno ddydd a nos.
Nid oedd unrhyw ffordd y gallai neb fynd ato!
Ond beth ddigwyddodd?
Y mae wedi diflannu, dyna sydd wedi digwydd!
Ei gipio o dan ein trwynau.
A nawr dyma nhw nôl fan hyn

a'u cynffonnau rhwng eu traed ôl,
yn disgwyl i ni gredu eu hesgusion.
Nid arnynt hwy oedd y bai mae'n debyg,
nid oedd yn deg i'w beio hwy.
Wel, pwy oedd ar fai? Dyna garwn i wybod!
Nhw a benodwyd i warchod.
Nhw gafodd y cyfarwyddiadau,
felly sut mae egluro'r llanast hwn?
Neu, tybed a ydynt yn credu y rhown i goel ar y syniad iddo ddiflannu?
Mi wn beth ddigwyddodd yn iawn;
cysgu wnaethon nhw.
Credu y gallent ymlacio,
mwynhau pendwmpian pan oedd ein cefnau wedi troi.
Y ffyliaid!
Oni allant weld beth sydd wedi digwydd nawr?
Maent wedi chwarae i ddwylo ei ddilynwyr;
rhoi iddynt gyfle a ddymunent.
Fe fydd pawb yn gwybod erbyn yfory –
Iesu o Nasareth a ddienyddiwyd am gabledd,
wedi codi'n wyrthiol o'r bedd.
Ergyd yn nhalcen yr awdurdodau,
cyfiawnhad dros popeth a gredodd.
Wel, ni allwn rwystro hynny, mae arnaf ofn,
ond rhaid gwneud rhywbeth rhag i bethau fynd dros ben llestri.
Rhaid i ni daenu'r gair ar led fod ei ddisgyblion wedi ei ddwyn
yn ystod y nos.
Fydd neb yn dymuno cael dim i'w wneud â gweithred felly.
Pwy a ŵyr, hwyrach y gallwn droi'r llanw o'n plaid eto.
Mae yna bris i'w dalu wrth gwrs,
wnaiff y gwarchodwyr ddim cyfaddef iddynt gysgu heb daro rhyw fargen –
ond beth bynnag fo'r gost fe'i talwn,
oherwydd mi wn am afael Iesu ar bobl,
y cariad a enynnodd,
y teyrngarwch a hawliodd.
Y peth olaf a allwn fforddio
yw iddo ddal mwy o rym
yn farw nac yn fyw.

Gweddi

Arglwydd,
clodforwn di am wirionedd y Pasg –
na ellir trechu cariad.
Er ceisio pob ystryw i atal dy bwrpas
fe lwyddaist.
Treiglwyd y maen, gwacawyd y bedd,
Cyfododd Crist!
Boed i'r gwirionedd hwn ein tanio ni'n feunyddiol â gobaith newydd,
hyder newydd a brwdfrydedd newydd.
Cynnal ni yn y gwirionedd
na all dim sefyll rhyngot ti a'th bwrpas.

65

DYNA PWY YDOEDD!

Cleopas

Darllen: Luc 24: 13-20, 25-31

Yn awr, yr un dydd, yr oedd dau ohonynt ar eu ffordd i bentref, saith milltir a hanner o Jerwsalem, o'r enw Emaus. Yr oeddent yn ymddiddan â'i gilydd am yr holl ddigwyddiadau hyn. Yn ystod yr ymddiddan a'r trafod, nesaodd Iesu ei hun atynt a dechrau cerdded gyda hwy, ond rhwystrwyd eu llygaid rhag ei adnabod ef. Meddai wrthynt, "Beth yw'r sylwadau hyn yr ydych yn eu cyfnewid wrth gerdded?" Safasant hwy, a'u digalondid yn eu hwynebau. Atebodd yr un o'r enw Cleopas, "Rhaid mai ti yw'r unig ymwelydd â Jerwsalem nad yw'n gwybod am y pethau sydd wedi digwydd yno y dyddiau diwethaf hyn." "Pa bethau?" meddai wrthynt. Atebasant hwythau, "Y pethau sydd wedi digwydd i Iesu o Nasareth, dyn oedd yn broffwyd nerthol ei weithredoedd a'i eiriau yng ngŵydd Duw a'r holl bobl. Traddododd ein prif offeiriaid ac aelodau ein Cyngor ef i'w ddedfrydu i farwolaeth, ac fe'i croeshoeliasant. . ." Meddai Iesu wrthynt, "Mor ddiddeall ydych, a mor araf yw eich calonnau i gredu'r cwbl a lefarodd y proffwydi! Onid oedd yn rhaid i'r Meseia ddioddef y pethau hyn, a mynd i mewn i'w ogoniant?" A chan ddechrau gyda Moses a'r holl broffwydi, dehonglodd iddynt y pethau a ysgrifennwyd amdano ef ei hun yn yr holl Ysgrythurau. Wedi iddynt nesáu at y pentref yr oeddent ar y ffordd iddo, cymerodd ef arno ei fod yn mynd ymhellach. Ond meddent wrtho, gan bwyso arno, "Aros gyda ni, oherwydd y mae hi'n nosi, a'r dydd yn dirwyn i ben." Yna aeth i mewn i aros gyda hwy. Wedi cymryd ei le wrth y bwrdd gyda hwy, cymerodd y bara a bendithio, a'i dorri a'i roi iddynt. Agorwyd eu llygaid hwy, ac adnabuasant ef. A diflannodd ef o'u golwg.

Myfyrdod

Dyna pwy ydoedd!
Rwy'n gweld nawr.
Ond pam na sylweddolwyd hynny o'r blaen?

Roeddem wedi bod yn Jerwsalem,
a gweld â'n llygaid, yr hyn a wnaethpwyd iddo
hyd yn oed sefyll wrth droed y groes,
ac eto fe fethom a'i adnabod wrth iddo gydgerdded â ni.
Pam?
Ai galar a'n dallodd,
neu'n calonnau mor drwm gan alar fel na allem weld y gwir?
Mae hynny'n bosibl, gan ein bod wedi'n llorio
o wybod fod yr un y buom yn ei ddisgwyl
wedi ei hoelio ar groesbren
a'i adael i farw.
Roeddem mor sicr,
mor bendant mai ef oedd y Meseia,
ond fe welsom ei farwolaeth
ac yr oeddem ar ein ffordd adref,
y freuddwyd ar chwâl,
ein bywydau'n deilchion.
Diau mai hynny a gymylodd pethau i ni.
Ef oedd yr olaf y disgwyliem ei weld.
Gwn iddo sôn am atgyfodi,
dryllio pyrth y bedd ac ati –
yn wir roeddem yn siarad am y peth wrth gerdded –
ond fe gymerwyd y cyfan gyda pinsied o halen,
a pharhau ar ein taith yn ôl i'r byd real.
Ni ddaeth i ddychymyg yr un ohonom y buasem yn ei weld;
Mae hynny'n egluro pethau, efallai
pam fod y geiniog mor hir yn disgyn.
Oherwydd nid ei wyneb a adnabuwyd,
ond ei leferydd,
ei ymddygiad,
a'r modd y llosgodd ein calonnau ynom wrth i ni gerdded.
Ond uwchlaw popeth, y pryd bwyd a rannwyd.
Cymerodd fara,
a'i dorri,
ac yn sydyn fe wawriodd arnom
mai Iesu ydoedd,
wedi cyfodi,
yn fyw!

Ac wrth i ni ei weld fe ddiflannodd,
diflannodd o flaen ein llygaid
ac ni welsom ef ers hynny.
Dyna i chi beth rhyfedd -
Sut y gwelsom ef pan na allem ei weld,
sut yr agorwyd ein llygaid pan nad oeddem yn edrych –
a sut y gwyddem ei fod gyda ni, er iddo ymadael â ni!

Gweddi

Arglwydd Iesu,
fel y ddau ddisgybl ar y ffordd i Emaus,
mor aml y teithiwn drwy fywyd heb sylweddoli dy bresenoldeb.
Er i ni sôn am dy atgyfodiad
nid yw'n cyffroi'n calonnau na dal ein dychymyg
fel y dylai.
Eto er na allwn sylweddoli,
hyd yn oed yn ein hamheuon yr wyt ti gyda ni,
bob cam o'r ffordd,
yn disgwyl ein cyfarfod.
Agor ein llygaid fel y gallwn dy weld a'th adnabod yn well.

66

GWELSOM IESU!

Andreas

Darllen: Ioan 20:19-20

Gyda'r nos ar y dydd cyntaf hwnnw o'r wythnos, yr oedd y drysau wedi eu cloi lle'r oedd y disgyblion, oherwydd eu bod yn ofni'r Iddewon. A dyma Iesu'n dod ac yn sefyll yn eu canol, ac yn dweud wrthynt, "Tangnefedd i chwi!" Wedi dweud hyn, dangosodd ei ddwylo a'i ystlys iddynt. Pan welsant yr Arglwydd, llawenychodd y disgyblion.

Myfyrdod

Gwelsom Iesu!
Peidiwch â chwerthin,
rwy'n dweud wrthych, fe'i gwelsom.
Gwnaethom y camgymeriad o ddiystyru'r peth ein hunan,
wfftiwyd pan ddychwelodd y merched yn llawn cyffro.
'Calliwch!' dywedwyd wrthynt,
'Peidiwch â chynhyrfu cymaint!'
Ni allem gredu ei fod yn fyw,
gwrthodwyd derbyn yr awgrym.
A phan gyfaddefwyd na allent fod yn sicr,
mai dim ond gweld bedd gwag a wnaethant ac nid Iesu ei hun,
fe aethom i chwilio am ateb rhesymol,
ateb oedd yn gwneud synnwyr cyffredin.
Hyd yn oed pan ddychwelodd Mair a dagrau llawenydd yn ei llygaid,
hyd yn oedd pan soniodd y ddau o Emaus iddynt ei weld,
nid oeddem yn barod i dderbyn, gan dybio mai ni wyddai orau.
Mae hynny'n hawdd i'w ddeall, does bosib?
Fe feddyliech ddwywaith pe baech wedi gweld eich cyfaill gorau
wedi ei selio mewn bedd, ac yn awr yn ymddangos i rywun ar y stryd
beth bynnag, camgymeriad fyddai codi gobeithion.
Roeddem yn dal i ddioddef o'r sioc, a hunlle'r cyfan.
Ond pe bawn yn gwbl onest, yr oedd y peth yn ddyfnach na hynny –

oni chawsom ergyd i'n balchder.
Os oedd yn fyw, pam nad oeddem ni wedi ei weld?
Pam dylai Mair,
neu un o'r ddau ddisgybl,
neu unrhyw un arall o ran hynny
fod wedi ei weld o'n blaen ni?
Ni oedd ei ddisgyblion wedi'r cyfan,
ni oedd y sawl a adawodd y cyfan i'w ddilyn,
ni oedd y rhai a fentrodd eu bywydau –
felly, pan na welsom ni ef?
Mae'n anesgusodol, mi wn, ond fel yna y gwelsom bethau ar y pryd,
hyd nes iddo ymddangos i ni.
Dylasem fod wedi cofio yr hyn a ddywedodd mor aml,
fel y byddai'r cyntaf yn olaf,
y lleiaf yn fwyaf;
ond yr oedd gennym lawer i'w ddysgu eto.
Beth bynnag, yno yr oeddwn
yn llochesu yn yr oruwch-ystafell,
yn trafod a dadlau ystyr y cyfan,
pan ymddangosodd,
yn sefyll yn y canol,
ei freichiau ar led.
O ble y daeth, neu i ba le yr aeth wedyn does gennyf yr un syniad.
Ond mi wn mai Iesu ydoedd –
a'i fod yn rhyfeddol o fyw.

Gweddi

O! Dduw,
mae bywyd yn anodd ar waetha'n ffydd.
Y mae sefyllfaoedd amrywiol yn ein llethu,
y mae'r dyfodol yn ddychryn i ni,
mae'n anodd gweld y da gan gymaint y drwg.
Rho i ni ddeall fod yr Atgyfodiad yn berthnasol i'r bywyd hwn
yn ogystal â'r byd a ddaw.
Helpa ni i sylweddoli ei berthnasedd i'n bywyd beunyddiol
yn ogystal â'r bywyd tragwyddol.
Helpa ni i weld dy fod yn dwyn bywyd i'r gwastadedd cyffredin
yn ogystal ag i'r copaon.

67

CREDWCH NEU BEIDIO!

Thomas

Darllen: Ioan 20:24-25

Nid oedd Thomas, a elwir Didymus, un o'r deuddeg, gyda hwy pan ddaeth Iesu atynt. Ac felly dywedodd y disgyblion eraill wrtho, "Yr ydym wedi gweld yr Arglwydd." Ond meddai ef wrthynt, "Os na welaf ôl yr hoelion yn ei ddwylo, a rhoi fy mys yn ôl yr hoelion, a'm llaw yn ei ystlys, ni chredaf fi byth."

Myfyrdod

Credwch neu beidio!
Mae pawb wrthi nawr, pob un o'r ffyliaid gwirion!
Ni chredais y gwelwn y dydd yn gwawrio.
Roeddwn wedi meddwl fod gan Pedr o leiaf fwy o synnwyr.
A Iago a Ioan, digon penboeth ar adegau efallai,
ond credais eu bod yn gallach na hyn.
Efallai mai digon bregus oedd y lleill.
Dyna i chi Seimon.
Teimlais y byddai hwn yn barod i gredu unrhyw beth weithiau.
Ac ni allech roi fawr o goel ar y gweddill chwaith.
Pwy maen nhw'n ceisio ei dwyllo?
Iesu'n galw i mewn am sgwrs wir!
Nhw oedd y cyntaf i wawdio pan ddychwelodd y gwragedd.
Fe gytunwyd yn unfrydol mai sterics oedd y cyfan.
Felly, beth sydd wedi newid? Beth sydd wedi eu meddiannu?
Yr holl aros yma yw'r broblem, os gofynnwch i mi:
aros am sŵn traed,
aros am gnoc ar y drws,
aros i'r gwarchodlu gyrraedd.
Mae hynny'n ddigon i yrru unrhyw un yn wallgof.
Ond hyd yn oed wedyn, wnewch chi ddim fy nghlywed i
yn mynd ymlaen ac ymlaen ynglŷn â bod Iesu'n fyw –

Bydd angen mwy nag ymddangosiadau ffansïol cyn i mi wneud hynny.
Ei gyffwrdd efallai,
gweld y creithiau,
rhoi fy llaw yn ôl y waywffon,
teimlo tyllau'r hoelion.
Ond does fawr o siawns y digwydd hynny.
Ydych chi'n credu?
Dydw i ddim.

Gweddi

Arglwydd,
mae'n anodd credu weithiau.
Yn wyneb amgylchiadau bywyd,
yr ydym ninnau fel Thomas yn amau,
ac yn chwilio am dystiolaeth bendant cyn derbyn yr hyn a ddywedir wrthym.
Ymddangosaist i Thomas a rhoi iddo'r sicrwydd a geisiai,
ond dywedaist wrtho hefyd,
mai y sawl sy'n credu heb weld sy'n derbyn y fendith fwyaf.
Cymorth ni, felly, pan fydd hi'n anodd dal ein gafael,
i ymddiried ynot ti, gan wybod na fydd i ti ollwng gafael.

68

DIM OND DYN YDOEDD

Thomas

Darllen: Ioan 20:26-29

Ac ymhen wythnos, yr oedd y disgyblion unwaith eto yn y tŷ, a Thomas gyda hwy. A dyma Iesu'n dod, er bod y drysau wedi eu cloi, ac yn sefyll yn y canol a dweud, "Tangnefedd i chwi!" Yna meddai wrth Thomas, "Estyn dy fys yma. Edrych ar fy nwylo. Estyn dy law a'i rhoi yn fy ystlys. A phaid â bod yn anghredadun, bydd yn gredadun." Atebodd Thomas ef, "Fy Arglwydd a'm Duw!" Dywedodd Iesu wrtho, "Ai am i ti fy ngweld i yr wyt ti wedi credu? Gwyn eu byd y rhai a gredodd heb iddynt weld."

Myfyrdod

Dim ond dyn ydoedd, dyna a dybiais.
Person hyfryd,
athro gwych,
y dyn mwyaf caredig
y gallech obeithio ei gyfarfod,
ond dim ond dyn.
Does dim o'i le yn hynny wrth gwrs;
nid pob dydd y dowch chi ar draws rhywun arbennig.
Mewn gwirionedd, diolch i Dduw mai dyn ydoedd,
cig a gwaed fel chi a fi.
Gwyddai beth oedd bod yn ddynol,
i rannu'n gobeithion a'n hofnau,
ein llawenydd a'n tristwch,
ein bywyd a'n marwolaeth.
Fe chwarddodd fel ninnau,
fe wylodd fel ninnau,
fe ddioddefodd fel ninnau.
Mi wn, am i mi fod gydag ef am dair blynedd.
Ond credais fod ei fywyd ar ben

pan osodwyd ef yn y bedd a threiglo'r maen ar ei draws.
Credais mai dyna ddiwedd y daith, nes i rywbeth ddigwydd,
rhywbeth syfrdanol, aruthrol, anhygoel –
ymddangosodd i mi drachefn,
fel yr ymddangosodd i weddill y disgyblion,
yn fyw ac yn iach,
a gwyddwn wedyn fod hwn yn fwy na dyn:
Duw ydoedd!
Yr oedd popeth a ddywedodd yn y gorffennol
yn gwneud synnwyr i mi bellach.
'pwy bynnag a'm gwelodd i a welodd y Tad,
ni welodd neb Dduw erioed, ond fi a'i gwnaeth yn hysbys'
'Wrth gwrs' meddwn 'Wrth gwrs'
a syrthiais o'i flaen i'w addoli.
Wyddoch chi, roedd Duw yn fwy real i mi'r pryd hynny
nag y breuddwydiais y gallai fod.
Felly, ychydig wedi iddo ddiflannu
gallwch ddychmygu ein siom.
Teimlais fy myd yn chwalu'n deilchion,
a Duw yn ein gadael yn amddifad,
hyd nes i ni ar unwaith wybod ei fod gyda ni wedi'r cyfan,
yn nes nag o'r blaen.
Fe deimlwyd ei bresenoldeb o'n mewn,
yn arwain,
yn adnewyddu,
yn gweithio drwom.
Ac eto cofiais y geiriau,
'A bydd yr Ysbryd Glân yn dysgu pob peth i chi.
Ysbryd yw Duw a rhaid ei addoli mewn ysbryd ac mewn gwirionedd'
Dyn ydoedd,
mor ddynol â chi a fi.
Ond yr oedd yn Dduw hefyd –
dangosodd inni'r Tad;
Gwn fod hynny'n swnio'n anhygoel, ond y mae'n wir.
Y mae'n Ysbryd hefyd –
Duw gyda ni nawr, yn ein calonnau.
Does dim angen fy ngair i arnoch,
na gair neb arall,

oherwydd fe ellwch ei brofi drosoch eich hunan.

Gweddi

O! Dduw Hollalluog,
ti yr hwn sydd tu hwnt i fyd amser, yn fwy na all ein meddyliau amgyffred,
yn teyrnasu dros bopeth sydd, a fu ac a fydd,
addolwn di.
Addolwn di fel y Duw a amlygwyd yng Nghrist,
yn Dduw sydd goruwch pawb a phopeth
ac eto'n Dduw sydd yn ein caru fel y mae tad yn caru ei blant.
Duw wyt ti a gyfrannodd o'n dynoliaeth ni.
Addolwn di fel y Duw a brofwn o'n mewn,
Duw sydd yn tanio'n dychymyg ac yn cynhesu'n calonnau
drwy Ysbryd Crist.
Rho i ni O! Dduw,
gip olwg ar dy fawredd,
a chymorth ni i agor ein calonnau a'n meddyliau i'th bresenoldeb.

69

CREDAIS I MI WELD DRYCHIOLAETH

Iago

Darllen: Luc 24: 36-43

Wrth iddynt ddweud hyn, ymddangosodd ef yn eu plith, ac meddai wrthynt, "Tangnefedd i chwi!" O achos eu dychryn a'u hofn, yr oeddent yn tybied eu bod yn gweld ysbryd. Gofynnodd iddynt, "Pam yr ydych wedi cynhyrfu? Pam y mae amheuon yn codi yn eich meddyliau? Gwelwch fy nwylo a'm traed; myfi yw, myfi fy hun. Cyffyrddwch â mi a gwelwch, oherwydd nid oes gan ysbryd gnawd ac esgyrn fel y canfyddwch fod gennyf fi." Wrth ddweud hyn dangosodd iddynt ei ddwylo a'i draed. A chan eu bod yn eu llawenydd yn dal i wrthod credu ac yn rhyfeddu, meddai wrthynt, "A oes gennch rywbeth i'w fwyta yma?" Rhoesant iddo ddarn o bysgodyn wedi ei rostio. Cymerodd ef, a bwyta yn eu gŵydd.

Myfyrdod

Credais i mi weld drychiolaeth.
o ddifrif, mi gredais.
Ni ddylwn fod wedi gwneud, rwy'n sylweddoli hynny –
dim ar ôl yr hyn a ddywedodd,
ac yn sicr nid ar ôl yr holl adroddiadau
gan y sawl a'i gwelodd.
Ond roeddem yn dal i gael anhawster i lyncu'r cyfan,
profi mwy o benbleth nag o lawenydd ar y pryd.
A phan ymddangosodd yn sydyn o unman
dychrynais yn fwy nag erioed.
Yr oeddem i gyd yn teimlo felly, a dweud y gwir,
er na fyddai'r un ohonom yn cydnabod hynny'n gyhoeddus.
Bu bron i ni gael haint pan welsom ef,
ac er i ni geisio bod yn hunanfeddiannol
ac ymddangos ein bod yn ei ddisgwyl ers amser,
ni lwyddwyd i dwyllo Iesu.

Gwelodd ein hwynebau,
sylwodd ar ein hadwaith,
ac yn ei lygaid gwelais gymysgedd o syndod a siom.
'Pam yr ydych yn ofni?' gofynnodd.
'Pam yr ydych yn amau cymaint?'
Edrychwch a gwelwch, ai fi sydd yma ai peidio?'
Ond nid oedd mor syml â hynny,
hyd yn oed wedi i ni weld ei ddwylo,
cyffwrdd ei draed a'i ystlys.
Gwyddem mai ef ydoedd,
ond anodd oedd credu yr hyn a ddangosai ein llygaid.
Roedd yn rhy dda i fod yn wir, mae'n debyg.
Roedd ofn arnom .
Eto ni allai neb wadu,
pan swperodd gyda ni,
siarad gyda ni,
chwerthin gyda ni.
Yn union fel y bu,
ef a ninnau ynghyd,
ac fe wyddem mewn ffordd anesboniadwy
iddo ddychwelyd atom!
Ond wedi dweud hynny,
roedd rhywbeth yn wahanol y tro hwn,
rhywbeth na fedrem roi ein bysedd arno.
Iesu oedd hwn, does dim amheuaeth am hynny,
ac yr oedd yno gyda ni, yn gig a gwaed fel ninnau.
Ond bu'n rhaid i ni sylweddoli er iddo ddychwelyd atom,
y buasai'n rhaid i ni ei ollwng eto.
Doedd dim dychwelyd i'r gorffennol i fod,
dim troi'r cloc yn ôl a honni na ddigwyddodd dim byd.
Yr oedd yn ddiwedd pennod,
pennod y dymunem ei gweld yn parhau am byth.
Ond yr oedd yn ddechrau pennod newydd,
troi dalen newydd,
heb wybod i ble y byddai'n arwain.

Gweddi

Arglwydd,
diolch am ein cyfarfod yn feunyddiol,
fel y bu i ti gyfarfod dy ddisgyblion wedi'r atgyfodiad.
Diolchwn fod buddugoliaeth
cariad dros gasineb, bywyd dros farwolaeth
yn parhau i wneud gwahaniaeth i'n bywydau ninnau,
fel y gwnaeth iddynt hwy.
Diolchwn dy fod yn dal i droi gwendid yn nerth,
ofn yn hyder, ac amheuaeth yn ffydd.
Diolch am y sicrwydd fod cyfle newydd
a dalen newydd ar ein cyfer i gyd.

70

TYBIWYD I NI EI GOLLI

Iago

Darllen: Actau 1:3, 6-11

Dangosodd ei hun hefyd iddynt yn fyw, wedi ei ddioddefaint, drwy lawer o arwyddion, gan fod yn weledig iddynt yn ystod deugain diwrnod a llefaru am deyrnas Dduw. Felly, wedi iddynt ddod ynghyd, fe ofynasant iddo, "Arglwydd, ai dyma'r adeg yr wyt ti am adfer y deyrnas i Israel?" Dywedodd yntau wrthynt, "Nid chwi sydd i wybod amseroedd neu brydiau; y mae'r Tad wedi gosod y rhain o fewn ei awdurdod ef ei hun. Ond fe dderbyniwch nerth wedi i'r Ysbryd Glân ddod arnoch, a byddwch yn dystion i mi yn Jerwsalem, ac yn holl Jwdea a Samaria, a hyd eithaf y ddaear." Wedi iddo ddweud hyn, a hwythau'n edrych, fe'i dyrchafwyd, a chipiodd cwmwl ef o'u golwg. Fel yr oeddent yn syllu tua'r nef, ac yntau'n mynd, dyma ddau ŵr yn sefyll yn eu hymyl mewn dillad gwyn, ac meddai'r rhain, "Wŷr Galilea, pam yr ydych yn sefyll yn edrych tua'r nef? Yr Iesu hwn, sydd wedi ei gymryd i fyny oddi wrthych i'r nef, bydd yn dod yn yr un modd ag y gwelsoch ef yn mynd i'r nef."

Myfyrdod

Tybiwyd i ni ei golli.
Wedi profi'r cyfan
tybiwyd i ni ei golli.
Yr oedd yn ddigon drwg y tro cyntaf –
ei wylio'n ddiymadferth o'r cysgodion
wrth iddo gael ei groeshoelio,
wrth iddo gael ei dynnu lawr o'r groes,
wrth iddynt ei roi i orwedd.
Yr oeddem yn credu bod y cyfan ar ben –
diwedd ar antur gyffrous –
yr oeddem y tu hwnt i bob cysur.
Ond rhyfeddod y rhyfeddodau

daeth yn ôl.
Anhygoel!
Fe ddaeth yn ôl
Ac yr oeddem gyda'n gilydd unwaith eto,
fel yn yr hen ddyddiau,
roedd bywyd yn hudolus unwaith yn rhagor.
Cyn iddo'n gadael unwaith eto –
yn ein hymyl un funud,
a'r funud nesaf wedi mynd.
Nid oeddwn yn deall,
ni allem wneud dim ond syllu ar ein gilydd
a dagrau ar ein gruddiau.
Fe adawodd i wynebu'r byd ei hunan.
Ein gadael pan oeddem ei angen ef fwyaf.
Pam?
Sut allai wneud y fath beth?
Dyna oedd yn ein blino.
Ond yna cawsom ryw deimlad rhyfedd.
Ni allaf ei egluro;
yr oedd fel llais o'r nefoedd.
Ac wrth edrych ar ein gilydd eto,
gwyddem nad ydoedd wedi mynd mewn gwirionedd.
Er na fyddem yn ei weld mwyach,
er na chawsom gyfle i siarad fel cynt,
fe wyddem ei fod yno gyda ni;
yno yn Jerwsalem,
yno yng Ngalilea,
yno yn Jwdea a Samaria,
yno yn yr holl fyd, pa le bynnag y dewisem fynd.
A gwyddem y buasai gyda ni bob munud,
bob dydd,
yn ein hymyl,
hyd yn oed yn angau ei hunan,
yn aros i'n derbyn a'n croesawu adref.
Tybiwyd i ni ei golli,
Ond bu'n rhaid i ni ei golli
er mwyn dod o hyd iddo.

Gweddi

Arglwydd Iesu Grist,
cyfarchwn di fel Brenin y Brenhinoedd ac Arglwydd yr Arglwyddi.
Cydnabyddwn dy fawredd,
cydnabyddwn dy awdurdod,
dathlwn dy Ddyrchafael,
cyflwynwn ein hunain i'th deyrnas.
Dirion Arglwydd, agor ein llygaid i ystyr dy Ddyrchafael.
Ehanga'n gweledigaeth, helaetha'n dealltwriaeth,
lleda'n gorwelion, dyfnha ein ffydd.
Rho i ni yr hyn sy'n angenrheidiol i fyw er dy ogoniant
a gweithio dros dy deyrnas.

PENTECOST

71

NI DDYLEM FOD WEDI SYNNU

Pedr

Darllen: Actau 2: 1-4

Ar ddydd cyflawni cyfnod y Pentecost yr oeddent oll ynghyd yn yr un lle, ac yn sydyn fe ddaeth o'r nef sŵn fel gwynt grymus yn rhuthro, ac fe lanwodd yr holl dŷ lle'r oeddent yn eistedd. Ymddangosodd iddynt dafodau fel o dân yn ymrannu ac yn eistedd un ar bob un ohonynt; a llanwyd hwy oll â'r Ysbryd Glân, a dechreusant lefaru â thafodau dieithr, fel yr oedd yr Ysbryd yn rhoi lleferydd iddynt.

Myfyrdod

Ni ddylem fod wedi synnu,
dim os oedd unrhyw synnwyr gennym;
dyma'r hyn y dywedwyd wrthym am ei ddisgwyl,
dyma a addawodd i ni.
Ond ni allem fod wedi dychmygu unrhyw beth mor anghyffredin â hyn.
Roeddem yn disgwyl, mae'n wir,
wedi dod at ein gilydd fel o'r blaen,
ond yr oeddem wedi gwneud hyn am ddyddiau
ac yr oedd ein hyder wedi cael ergyd go drom.
Rhyw smalio ein bod yn gwneud rhywbeth,
ac yn ceisio cysuro ein hunain nad ydoedd wedi ein hanghofio,
siarad am y dyfodol fel pe baem yn credu yn y dyfodol hwnnw,
ac eto'n amau a oedd rhywbeth i edrych ymlaen ato.
Beth mewn difrif oeddem ni'n gobeithio ei gyflawni?
Pa reswm oedd dros gredu y gallem ni, griw o ddynion digon brith
gyflawni'r hyn na allai ein meistr?
Roeddem yn dymuno parhau y gwaith, peidiwch â'm camddeall;
ein dymuniad oedd cyhoeddi yr hyn a ddigwyddodd,
ond sut y gallem obeithio cychwyn?
Felly cadwyd y drysau ar glo er mwyn i ni
gael canu'n hemynau

adrodd ein gweddïau
a chuddio ein hamheuon.
Ac yn sydyn fe ddigwyddodd!
Ni allaf ei ddisgrifio hyd yn oed yn awr,
ond fe newidiodd ein bywydau.
Daeth awel i adfywio'r ffydd fu'n edwino,
awel iach i godi'r ysbryd.
daeth gwreichionen i ailgynnau yr hyder,
tafod o dân i roi fflam yn ein calonnau,
ysgubodd y goelcerth ein hamheuon i ffwrdd.
Yr oedd bywyd wedi ail gychwyn,
gweddnewidiwyd y byd,
ac fe'n ganwyd i gyd o'r newydd.
Gwn nad yw hynny'n gwneud synnwyr,
ond dyna'r gorau y gallaf ei wneud.
Rhaid i chi ei brofi drosoch eich hunain er mwyn deall.
Ac fe allwch, yn union fel ninnau.
Doedden ni ddim yn credu fod hynny'n bosibl,
ar waethaf pob dim a ddywedodd Iesu.
Yr oeddem ar goll,
yn unig,
yn ofnus,
yn ymwybodol o'n gwendid,
yn chwilio am ein cryfderau.
Doedden ni ddim yn credu y gallem newid yr un enaid,
heb sôn am y byd,
ond dyna fe, doedd gennym ddim syniad sut y byddai Duw yn ein newid ninnau!

Gweddi

O! Dduw grasol,
diolchwn am y munudau anghyffredin
a brofwn o bryd i'w gilydd,
munudau sy'n gweddnewid ein bywydau,
yn rhoi i ni lawenydd nad oeddem yn credu ei fod yn bosibl.
Diolch yn arbennig am ddawn yr Ysbryd Glân –
profiad a newidiodd fywydau'r apostolion,

profiad a newidiodd fywydau cynifer dros y canrifoedd,
a grym sydd yn abl i'n newid ninnau yma yn awr.
Agor ein calonnau, ein meddyliau a'n heneidiau i'th bresenoldeb bywiol
fel y gallwn adnabod y grym a all newid y byd.

72

DOEDD HI FAWR O DDAWN

Barnabas

Darllen: Actau 4:32-37

Yr oedd y lliaws credinwyr o un galon ac enaid, ac ni fyddai neb yn dweud am ddim o'i feddiannau mai ei eiddo ef ei hun ydoedd, ond yr oedd ganddynt bopeth yn gyffredin. Â nerth mawr yr oedd yr apostolion yn rhoi eu tystiolaeth am atgyfodiad yr Arglwydd Iesu, a gras mawr oedd arnynt oll. Yn wir, nid oedd neb anghenus yn eu plith, oherwydd byddai pawb oedd yn berchenogion tiroedd neu dai yn eu gwerthu, a dod â'r tâl am y pethau a werthid, a'i roi wrth draed yr apostolion; a rhennid i bawb yn ôl fel y byddai angen pob un. Yr oedd Joseff, a gyfenwid Barnabas gan yr apostolion (sef, o'i gyfieithu, Mab Anogaeth), Lefiad, Cypriad o enedigaeth, yn berchen darn o dir, a gwerthodd ef, a daeth â'r arian a'i roi wrth draed yr apostolion.

Myfyrdod

Doedd hi fawr o ddawn;
o leiaf nid oeddwn i'n credu hynny.
A dweud y gwir nid oeddwn i'n credu fod gennyf ddawn o gwbl,
nid fel y gweddill ohonynt gyda'i harwyddion a'u rhyfeddodau.
Roeddwn yn eiddigeddus wrthynt weithiau,
mor aml yng ngolwg y cyhoedd,
yn dwyn y penawdau –
proffwydi,
athrawon,
cyflawnwyr gwyrthiau,
llefarwyr â thafodau.
Nhw a ddenodd y tyrfaoedd,
arnynt hwy yr oedd pobl yn sylwi,
ac fe fyddwn innau yn dilyn yn dawel fach,
yn byw fy ffydd yn fy ffordd syml fy hun,
yn siarad a gwneud, yn gofalu a rhannu

fel y credais y byddai Crist yn dymuno i mi wneud.
Ac yna rhoesant i mi'r enw hwn
Barnabas
'Mab Anogaeth'
syndod o'r mwyaf,
oherwydd beth wnes i, i haeddu'r anrhydedd hwn.
Yna dywedwyd wrthyf,
un ar ôl y llall,
o'r holl ddoniau a drysorwyd ganddynt,
fy nawn i oedd y mwyaf.
Gair o ganmoliaeth,
mynegiant o ymddiriedaeth,
gweithred o gariad –
dim a fyddai'n peri unrhyw syndod,
ond hyn a gododd eu calonnau a chysuro eu hysbrydoedd.
Nid yw'n swnio'n llawer, mi wn -
annog pobl?
Nid yw'n ddawn y dewch o hyd iddi mewn unrhyw lyfr testun,
nac yn ddawn y byddai pobl yn ymladd amdani.
Ond peidiwch â gadael i hynny eich camarwain,
fel y gwnes i.
Peidiwch â gwastraffu amser yn ceisio'r doniau rhyfeddol hynny,
oherwydd yn aml pan na fyddwch yn disgwyl,
drwy bethau sy'n ymddangos yn ddibwys
y mae Iesu yn dymuno eich defnyddio.
Felly os byddwch, fel finnau, yn amau eich profiad,
neu'n disgwyl yr ysbryd ac y methu deall pam na ddaw,
caniatewch i mi gynnig gair o anogaeth:
dilynwch Iesu,
yn ffyddlon,
yn syml,
a hwyrach,
dim ond hwyrach,
y cewch i'w ysbryd fod yno ar hyd yr amser.

Gweddi

Arglwydd,
wrth ddarllen yr ysgrythurau,

wrth wrando ar dystiolaethau dramatig,
a chyfarfod â Christnogion gloyw,
y mae tuedd ynom i ddigalonni.
Nid yw'r doniau hynny yn ein meddiant,
does gennym ddim storïau cyffrous i'w hadrodd.
Eto fe gawn ein hatgoffa drwy ddynion fel Barnabas
y gall y sawl sy'n gweithio'n dawel yn y cefndir
gyfrannu llawn cymaint i waith y deyrnas.

73

Y MAE'N GWNEUD SYNNWYR NAWR

Yr Eunuch

Darllen: Actau 8: 26-35

Llefarodd angel yr Arglwydd wrth Philip: "Cod," meddai, "a chymer daith tua'r de, i'r ffordd sy'n mynd i lawr o Jerwsalem i Gasa." Ffordd anial yw hon. Cododd yntau ac aeth. A dyma ŵr o Ethiop, eunuch, swyddog uchel i Candace brenhines yr Ethiopiaid, ac yn ben ar ei holl drysor hi; yr oedd hwn wedi dod i Jerwsalem i addoli, ac yr oedd yn dychwelyd ac yn eistedd yn ei gerbyd, yn darllen y proffwyd Eseia. Dywedodd yr Ysbryd wrth Philip, "Dos a glŷn wrth y cerbyd yna." Rhedodd Philip ato a chlywodd ef yn darllen y proffwyd Eseia, ac meddai, "A wyt ti'n deall, tybed, beth yr wyt yn ei ddarllen?" Meddai yntau, "Wel, sut y gallwn i, heb i rywun fy nghyfarwyddo?" Gwahoddodd Philip i ddod i fyny ato ac eistedd gydag ef. A hon oedd yr adran o'r Ysgrythur yr oedd yn ei ddarllen:
"Arweiniwyd ef fel dafad i'r lladdfa,
ac fel y bydd oen yn ddistaw yn llaw ei gneifiwr,
felly nid yw'n agor ei enau.
Yn ei ddarostyngiad gomeddwyd iddo farn.
Pwy a draetha ei genhedlaeth?
Canys cipir ei fywyd oddi ar y ddaear."

Myfyrdod

Y mae'n gwneud synnwyr nawr!
O'r diwedd wedi oriau o astudio,
gallaf, o'r diwedd ddeall geiriau'r proffwyd.
Bu'n ddirgelwch i mi,
bu sawl ymgais i geisio dehongli,
a chefais fy nhemtio droeon i roi'r ffidil yn y to.
Ond dyma roi un cynnig arall arni
Rhaid i chi ddeall i mi gael fy nghyfareddu
a'm herio gan y geiriau hynny:

‘...arweiniwyd ef fel oen i’r lladdfa,
ac fel y bydd dafad yn ddistaw yn llaw’r cneifiwr,
felly nid agorai yntau ei enau’
Pa fath o berson allai wneud hynny, tybiais?
A pham? Pam?
Ai gwroldeb ydoedd?
Ai arswyd?
Ai gwallgofrwydd?
Ai euogrwydd?
Roedd yn rhaid i mi gael gwybod,
roeddwn yn dyheu am ateb.
‘Oes gwahaniaeth?’ gofynnwyd i mi.
‘A ydyw’n werth y drafferth?’
Pe bai’n ddim ond chwilfrydedd
buaswn wedi cytuno.
Ond yr oedd mwy i’r peth na hynny, llawer mwy,
oherwydd geiriau nesa’r proffwyd barodd fwy o ddryswch ,
a dwysau’r angen i ddeall –
‘Fe’i torrwyd o dir y rhai byw
a’i daro am gamwedd fy mhobl.
Rhoddwyd iddo fedd gyda’r rhai anwir,
a beddrod gyda’r rhai drygionus.’
pa fath berson fyddai’n gwneud hynny?
Pa fath Dduw fyddai’n caniatáu hynny?
Ni allwn ddeall y geiriau,
ond yr oedd yn hollol glir fod rhywun arbennig mewn golwg ganddo,
rhywun mwy na’r cyffredin.
Felly, dychwelais at y gair ac ymdrechu i ddeall,
ac yna’n sydyn dyma ddieithryn yn ymddangos,
ac eglurodd ystyr y cyfan.
Nid ateb slic mohono,
ond dehongliad manwl, gair am air;
beth oedd yr ystyr i’r proffwyd flynyddoedd maith yn ôl,
beth oedd yr ystyr iddo yntau a’i gyd gredinwyr yn awr,
ac yna beth allai olygu, beth mae’n ei olygu,
i mi ac i bawb sy’n barod i wrando.
O’r diwedd dyna ddeall!
A dyma i chi neges,

dyma neges fythgofiadwy!Bu'n rhaid i mi ddyfalbarhau,
ymdrechu i ddeall,
a gallwn yn hawdd fod wedi ildio..
Ond daliais ati, dal i geisio,
hyd nes i mi gael.
O'r diwedd y mae'n gwneud synnwyr.

Gweddi

Arglwydd Iesu,
dywedaist wrthym fod y sawl sy'n newynu a sychedu am gyfiawnder
yn cael eu digoni.
A dyma'r hyn a welwn yn hanes yr eunuch hwn,
wedi blynyddoedd o geisio
cafodd ateb i'w weddïau ynot ti.
Dysg i ninnau geisio'r gwirionedd gyda'r un ymroddiad,
i ddarllen yr Ysgrythurau i geisio goleuni,
ac i ymateb i'th gariad gyda'r un brwdfrydedd.
Boed i ninnau fel yntau weld y darnau'n disgyn i'w lle
a chael y darlun llawn
sy'n gwneud synnwyr o'r cyfan.

74

RHAID I MI DDWEUD WRTHYCH!

Philip

Darllen: Ioan 1: 43-46

Trannoeth, penderfynnodd Iesu ymadael a mynd i Galilea. Cafodd hyd i Philip, ac meddai wrtho, “Canlyn fi.” Gŵr o Bethsaida, tref Andreas a Pedr, oedd Philip. Cafodd Philip hyd i Nathanael a dweud wrtho, “Yr ydym wedi darganfod y gŵr yr ysgrifennodd Moses yn y Gyfraith amdano, a’r proffwydi hefyd, Iesu fab Joseff o Nasareth.” Dywedodd Nathanael wrtho, “A all dim da ddod o Nasareth?” “Tyrd i weld,” ebe Philip wrtho.

Myfyrdod

Rhaid i mi ddweud wrthych!
Maddeuwch i mi am ymyrryd,
ond mae’n rhaid i mi ddweud wrthych beth wnaeth Crist i mi.
Nid wyf yn brolio, Duw a’m gwaredo!
Does dim ynof fi sy’n arbennig ac yn haeddu sylw.
Dyn cyffredin ydwyf,
dim gwahanol i neb arall,
ond ’rwyf newydd sylweddoli beth sydd o bwys mewn bywyd,
beth sy’n cyfrif.
Credais i mi wybod yn barod;
dyna’n hanes i gyd onide?
swydd dda,
cymar i’n caru,
cartref dymunol,
plant –
y math yna o bethau.
Ac y mae’r holl bethau hyn yn werthfawr.
Ond pan glywais am Iesu,
a’i gyfarfod fy hun,
sylweddolais fod mwy i fywyd hyd yn oed na hynny.

Rhywbeth a fyddai'n cynnig golwg newydd i mi ar bopeth.
a diwallu fy anghenion dyfnaf.
Ryddhawyd fi o'm hunan,
fy euogrwydd,
fy mhechod,
fy nghywilydd,
cefais faddeuant,
a rhoddwyd i mi ddechreuad newydd
myrdd o ddechreuadau newydd.
Rhyddhawyd fi o'r ysfa barhaol am bleser,
o dduwiau trachwant,
balchder ac eiddigedd;
dysgais fod mwy i fywyd na llwyddiant.
Ryddhawyd fi o ofn a gofid,
anobaith a thristwch;
Ac uwchlaw popeth rhyddhawyd fi o farwolaeth,
a gwybod y byddaf fi byw am ei fod ef yn fyw.
Felly, fe welwch pam fod yn rhaid i mi ddweud,
pam fod yn rhaid i chi gael gwybod.
Rwyf wedi darganfod cymaint,
gobaith,
tangnefedd,
hapusrwydd;
ac ni allaf gadw'r cyfan i mi fy hun.
Rhaid i mi rannu fy mhrofiad,
felly maddeuwch i mi am ymyrryd,
ond os oes gennych funud,
gadewch i mi ddweud wrthych!

Darllen: Actau 8: 4-8

Am y rhai a wasgarwyd, teithiasant gan bregethu'r Gair. Aeth Philip i lawr i'r ddinas yn Samaria, a dechreuodd gyhoeddi'r Meseia iddynt. Yr oedd y tyrfaoedd yn dal yn unfryd ar eiriau Philip, wrth glywed a gweld yr arwyddion yr oedd yn eu gwneud; oherwydd yr oedd ysbrydion aflan yn dod allan o lawer oedd wedi eu meddiannu ganddynt, gan weiddi â llais uchel, ac iachawyd llawer o rai wedi eu parlysu ac o rai cloff. A bu llawenydd mawr yn y ddinas honno.

Gweddi

Arglwydd Iesu,
gelwaist ni oll i dystio i ti,
a rhoddaist gyfleon dirifedi i ni wneud hynny.
Ni ddisgwylir i ni fod yn genhadon dawnus,
dim ond siarad yn naturiol amdanat
pan gwyd y cyfle.
Cydnabyddwn i ni wastraffu'r cyfleon hynny,
yn ansicr o'r hyn y dylem ddweud,
yn ofni gwneud ffyliaid ohonom ein hunain,
yn ofni cael ein gwrthod.
Maddau i ni am bob methiant,
a'r tro nesaf cynorthwya ni
i lefaru'n eofn,
gan wybod y cawn bob cymorth gennyt ti.

75

NI ALLWN NI DEWI Â SÔN

Ioan

Darllen Actau 4:1-3

Tra oeddent yn llefaru wrth y bobl, daeth yr offeiriaid a phrif swyddog gwarchodlu'r deml a'r Sadwceaid ar eu gwarthaf, yn flin am eu bod hwy'n dysgu'r bobl ac yn cyhoeddi ynglŷn â Iesu yr atgyfodiad oddi wrth y meirw. Cymerasant afael arnynt a'u rhoi mewn dalfa hyd drannoeth, oherwydd yr oedd hi'n hwyr eisoes.

Myfyrdod

Ni allwn ni dewi â sôn;
gwn fod hynny'n swnio'n ffôl,
a'n bod yn mentro ein bywydau wrth ddal ati
ond y mae'n rhaid i ni lefaru,
a rhannu'n profiad ni o Dduw.
Nid ydym yn chwilio am drwbl,
peidiwch, da chi â chredu hynny.
Nid ydym yn dymuno gwneud enw i ni ein hunain;
buasai'n well gennym fod yn y cefndir.
Y gwir amdani yw, nad oes gennym ddewis.
Ar waetha'n hunain,
fe ddaw'r geiriau fel llifeiriant.
Pan fyddwn yn y synagog yn gwrando ar yr ysgrythurau,
rhaid i ni eu dehongli.
Pan fyddwn allan yn y farchnad, a'r dyrfa'n cau o'n cwmpas,
rhaid i ni rannu'r Newyddion Da.
Pan ddaw'r cloffion i geisio iachâd,
y tlodion am gymorth,
yr unig am gyfeillgarwch,
y colledig am arweiniad,
rhaid tystio i'n ffydd yn Iesu,
y ffordd,y gwirionedd, a'r bywyd a gawsom ynddo ef.

Yn wir i chi, nid oes gennym ddymuniad i ganu'n clodydd ein hunain,
ond rhaid i ni dystio i Iesu.
Dyna paham yr ydym yma heddiw yn disgwyl ymddangos gerbron y Cyngor,
mewn dwr poeth eto ac ar fin cael crasfa arall.
Nid mwynhad mohono –
yn wir y mae arswyd arnom
gan ein bod yn cofio yr hyn a wnaethant i Iesu.
Na, nid ydym yn twyllo ein hunan,
gwyddom yn iawn beth yw'r pris i'w dalu.
Buont yn drugarog hyd yn hyn,ond gwyddom na all hynny barhau.
Does dim gwahaniaeth –
rhaid dweud am yr hyn a welsom ac a glywsom.
Dyma'n dyletswydd,
ein cyfrifoldeb,
y peth lleiaf y gallwn ei wneud.
Nid gorchest mo hyn,
ond pan fydd Duw yn rhoi geiriau i ni i'w llefaru
ni allwn fod yn ddistaw.

Gweddi

Diolchwn i ti, O! Dduw
am bawb fu'n feddiannol ar ddewrder i gyhoeddi eu ffydd
hyd yn oed ar draul eu diogelwch eu hunain.
Diolch am y rhai, o glywed y Newyddion Da,
a fu'n benderfynol o'i rannu.
Gweddïwn ar i ni drwy Iesu, ddarganfod dy gariad tuag atom,
ac yn ein tro ei rannu ag eraill
fel y daw eraill trwom ni
i adnabod dy gariad.

DOEDDWN I DDIM YN SIWR AR Y DECHRAU

Gamaliel

Darllen: Actau 5: 27-30, 33-42

Wedi dod â hwy yno, gwnaethant iddynt sefyll gerbron y Sanhedrin. Holodd yr archoffeiriad hwy, a dweud, "Rhoesom orchymyn pendant i chwi beidio â dysgu yn yr enw hwn, a dyma chwi wedi llenwi Jerwsalem â'ch dysgeidiaeth, a'ch bwriad yw rhoi'r bai arnom ni am farwolaeth y dyn hwn." Atebodd Pedr a'r apostolion, "Rhaid ufuddhau i Dduw yn hytrach nag i ddynion. Y mae Duw ein tadau ni wedi cyfodi Iesu, yr hwn yr oeddech chwi wedi ei lofruddio trwy ei grogi ar groesbren." Pan glywsant hwy hyn, aethant yn ffyrnig ac ewyllysio eu lladd. Ond fe gododd yn y Sanhedrin ryw Pharisead o'r enw Gamaliel, athro'r Gyfraith, gŵr a berchid gan yr holl bobl, ac archodd anfon y dynion allan am ychydig. "Wŷr Israel," meddai, "cymerwch ofal beth yr ydych am ei wneud â'r dynion hyn. Oherwydd dro yn ôl cododd Theudas, gan honni ei fod yn rhywun, ac ymunodd nifer o ddynion ag ef, ynghylch pedwar cant. Lladdwyd ef, a chwalwyd pawb oedd yn ei ganlyn, ac aethant yn ddim. Ar ôl hwn, cododd Jwdas y Galilead yn nyddiau'r cofrestru, a thynnodd bobl i'w ganlyn. Ond darfu amdano yntau hefyd, a gwasgarwyd pawb o'i ganlynwyr. Ac yn yr achos hwn, 'rwy'n dweud wrthych, ymogelwch rhag y dynion hyn; gadewch lonydd iddynt. Oherwydd os o ddynion y mae'r bwriad hwn neu'r weithred hon, fe'i dymchwelir; ond os o Dduw y mae, ni fyddwch yn abl i'w ddymchwelyd. Fe all y'ch ceir chwi yn ymladd yn erbyn Duw." Ac fe'u perswadiwyd ganddo. Galwasant yr apostolion atynt, ac wedi eu fflangellu a gorchymyn iddynt beidio â llefaru yn enw Iesu, gollyngasant hwy'n rhydd. Aethant hwythau ar eu taith o ŵydd y Sanhedrin, yn llawen am iddynt gael eu cyfrif yn deilwng i dderbyn amarch er mwyn yr Enw. A phob dydd, yn y deml ac yn eu tai, nid oeddent yn peidio â dysgu a chyhoeddi'r newydd da am y Meseia, Iesu.

Myfyrdod

Doeddwn i ddim yn siwr ar y dechrau;
yn wahanol i'r gweddill gallwn weld y ddwy ochr,
arwydd o wendid yn nhyb rhai –
ond mae'n flin gennyf, ond un felly ydwyf,
nid oedd pethau mor syml â'r argraff a roddwyd gan fy nghydweithwyr.
Roeddwn wedi synnu llawn cymaint â phawb at eiriau Pedr –
ein cyhuddo o wrthod y Meseia,
ein beio am ei farwolaeth;
ymddangosi fel cabledd, rwy'n cyfaddef.
Ond nid allaf ond edmygu ei wroldeb,
nid yn unig wroldeb Pedr,
ond y gweddill ohonynt.
Gwyddent am y peryglon,
am yr adwaith y gallent ei ddisgwyl,
ond eto roeddent yn benderfynol o ddal ati.
Rhaid cyfaddef eu bod yn credu yr hyn a ddywedwyd ganddynt.
Ni oedd y ffaith fy mod i'n anghytuno yn golygu eu bod yn anghywir.
Felly, dyna lle'r oeddwn,
wedi fy nal yn y canol,
eistedd ar ben llidiart, os mynnwch,
ac eto fe ddisgwylid i mi wneud penderfyniad.
Er y blynyddoedd o brofiad nid oeddwn yn sicr sut i ymlwybro.
Ond fe gofiais eiriau a ddefnyddiwyd gan Iesu ei hun –
geiriau o ddoethineb, beth bynnag eich barn:
'Eiddo Cesar i Gesar ac eiddo Duw i Dduw'
Ni allech ddadlau â hynny, a rhoes i mi'r ysbrydoliaeth a geisiais,
neu felly y tybiais beth bynnag.
Peidiwch â rhuthro, meddwn wrthynt;
arhoswch i weld beth sy'n digwydd.
Os yw'r busnes yma o Dduw fe fydd yn llwyddo,
os nad ydyw, fe fydd farw,
yn union fel Iesu ei hun.
Nid oedd yn ateb llawn, mi wn –
gallech ddadlau fy mod yn osgoi'r mater –
ond fe gadwodd yr heddwch am dipyn,
a thewi'r cydweithwyr mwyaf eithafol.

Wrth edrych yn ôl rwy'n diolch i Dduw am hynny,
oherwydd goroesodd y Cristnogion hynny ddifrod amser,
ar waetha'r holl wawd,
casineb
ac erledigaeth.
Aethant o nerth i nerth,
ac maent yn dal i dyfu.
Fe ddylwn wybod, oherwydd rwyf newydd ymuno â nhw!
Nid oeddwn yn siwr ar y pryd,
roedd gennyf fy amheuon,
ond dygais beidio bod yn rhy barod i farnu,
beidio credu fod gennyf yr ateb i bopeth,
a pheidio byth â chredu mod i'n gwybod yn well na Duw.

Gweddi

Arglwydd,
dysgaist ni i beidio barnu rhag i ni gael ein barnu.
Ond yr ydym yn rhy barod i wrando ar ein rhagfarnau,
ac yn amharod i wrando ar farn eraill.
Rho i ni Arglwydd, ddoethineb Gamaliel
i wybod beth i'w wneud pan na fydd yr atebion gennym.
Rho i ni amynedd,
gan gydnabod y byddi di yn amlygu'r cyfan i ni,
yn dy amser dy hun.

77

RWY'N RHY IFANC I FARW

Steffan

Darllen: Actau 6: 8-10, 12-15

Yr oedd Steffan, yn llawn gras a nerth, yn gwneud rhyfeddodau ac arwyddion mawr ymhlith y bobl. Ond daeth rhai o aelodau'r synagog a elwid yn Synagog y Libertiniaid a'r Cyreniaid a'r Alexandriaid, a rhai o wŷr Cilicia ac Asia, a dadlau â Steffan, ond ni allent wrthsefyll y ddoethineb a'r Ysbryd yr oedd yn llefaru drwyddynt. A chynyrfasant y bobl a'r henuriaid a'r ysgrifenyddion, ac ymosod arno a'i gipio a dod ag ef gerbron y Sanhedrin, a gosod gau-dystion i ddweud, "Y mae'r dyn yma byth a hefyd yn llefaru pethau yn erbyn y lle sanctaidd hwn a'r Gyfraith; oherwydd clywsom ef yn dweud y bydd Iesu'r Nasaread yma yn distrywio'r lle hwn, ac yn newid y defodau a draddododd Moses i ni." A syllodd pawb oedd yn eistedd yn y Sanhedrin arno, a gwelsant ei wyneb ef fel wyneb angel.

Myfyrdod

Rwy'n rhy ifanc i farw,
rhy ifanc o lawer!
Mae cymaint i'w wneud eto,
cymaint heb ei gychwyn.
Peidiwch â chamddeall,
nid wyf yn ofni marw.
Ond rwy'n caru byw,
ac nid wyf am ollwng gafael os nad oes raid.
Rwy'n caru sŵn adar yn canu yn y coed,
y gwynt yn sibrwd drwy'r glaswellt,
plant yn chwerthin yn y stryd.
Rwy'n caru gweld y cymylau'n patrymu yn yr awyr,
yr haul yn machlud dros y môr,
a'r coed yn drwmlwythog gan eu ffrwythau.
Rwy'n caru teimlo'r dŵr yn gwlychu'r croen,

arogl blodau yn dawnsio yn yr awel,
blas bwyd, yn codi o'r popty.
Rwy'n caru llawenydd rhannu gyda'm teulu,
pleser y gymdeithas Gristnogol –
mae cymaint nad wyf yn dymuno'u colli.
Felly, pam taflu'r cyfan i ffwrdd, rwy'n eich clywed yn gofyn?
Pam mentro ar lwybr sy'n arwain i farwolaeth?
Gofynnais yr un cwestiwn i mi fy hun ganwaith,
gan geisio ffordd amgenach,
ffordd llai costus.
Fe garwn pe bai modd dod o hyd i lwybr felly,
ond gwn yn fy nghalon nad oes.
Gallwn fod wedi cerdded ffordd arall
a olygai gwadu'r ffydd, mae hynny'n wir.
Gallwn fod wedi defnyddio'r bluen yn ôl lliw y dŵr.
Ond beth pe tai Iesu wedi gwneud yr un peth, -
rhoi'r flaenoriaeth i ddiogelwch a chadw'n dawel?
Pa fath ddyfodol fyddai i ni?
Pa obaith, pa lawenydd,
pa ffydd i'w rannu?
Ond na, fe roes y cyfan,
ar waetha'r boen,
ar waetha'r ofn,
ar waetha'r tristwch –
gan gerdded bob cam i'r Groes.
Dyna paham yr wyf yma nawr,
yn cael fy ngwthio gan y dorf,
a'm llusgo drwy'r strydoedd,
yn disgwyl am y gawod gerrig.
Dydw i ddim eisiau marw,
doedd Iesu ddim eisiau marw chwaith.
Rwy'n rhy ifanc i farw,
ond yr oedd Iesu hefyd.
Rwyf yn dymuno cael byw,
oherwydd mod i'n caru bywyd,
ond y peth yw,
rwy'n caru Iesu'n fwy,
fel y carodd ef fi.

Darllen: Actau 7: 58-60

. . . a'i fwrw allan o'r ddinas, a mynd ati i'w labyddio. Dododd y tystion eu dillad wrth draed dyn ifanc o'r enw Saul. Ac wrth iddynt ei labyddio, yr oedd Steffan yn galw, "Arglwydd Iesu, derbyn fy ysbryd." Yna penliniodd, a gwaeddodd â llais uchel, "Arglwydd, paid â dal y pechod hwn yn eu herbyn." Ac wedi dweud hynny, fe hunodd.

Gweddi

Arglwydd,
mae'n hawdd sôn am godi croes a'th ddilyn di,
ond y mae gwneud hynny'n wahanol.
Mae'n anodd ymwadu ychydig â'n hunain,
heb sôn am roi'r cyfan.
Mae cymaint a fwynhawn mewn bywyd
ac y mae meddwl am aberthu'r cyfan yn ormod i ni.
Eto, fe'n dysgaist ni mai drwy golli bywyd y mae ennill bywyd,
a bod y trysor sy'n werth ei gadw yn y nefoedd ac nid ar y ddaear.
Gwared ni rhag dal ein gafael yn yr hyn sydd gennym,
ond i roi, fel y rhoddaist ti dy hunan i ni.

78

HONNANT EI FOD YN FYW

Paul

Darllen: Actau 8:1-3; 9:1-2

Yr oedd Saul yn cydsynio â'i lofruddio. Y diwrnod hwnnw dechreuodd erlid mawr ar yr eglwys yn Jerwsalem. Gwasgarwyd hwy oll, oddieithr yr apostolion, trwy barthau Jwdea a Samaria. Claddwyd Steffan gan wŷr duwiol, ac yr oeddent yn galarnadu'n uchel amdano. Ond anrheithio'r eglwys yr oedd Saul: mynd i mewn i dŷ ar ôl tŷ, a llusgo allan wŷr a gwragedd, a'u traddodi i garchar.

Myfyrdod

Honnant ei fod yn fyw.
Nôl o blith y meirw
ac yn cynnig bywyd newydd i'w ddilynwyr.
Cawn weld ynglŷn â hynny!
Ambell i fflangelliad,
ambell i gawod gerrig,
ac fe fydd hi'n stori wahanol.
Beth mae'r bobl hyn yn ceisio'i brofi?
Ydyn nhw'n credu ein bod ni am lyncu'r lol hyn i gyd?
Mae Iesu wedi marw,
hoeliwyd ef i'r groes,
a gwynt teg ar ei ôl;
boed felly i bob cablwr!
Sut allant ddal i honni mai ef yw'r Meseia?
Os felly, ni fyddai wedi marw.
Ac yn sicr i chi ni fyddai wedi marw yn y modd y gwnaeth,
wedi ei fychanu,
ei watwar,
ei felltithio,
ei gasáu.
Na, peidiwch â cheisio fy argyhoeddi mai ef yw'r Crist,

rwy'n gwybod yn well na hynny.
Rwy'n gyn ddisgybl i Gamaliel.
Yn arbenigwr cydnabyddedig ar y Gyfraith,
mae'r cyfan ar flaen fy mysedd i'r manylyn lleiaf.
A gallaf eich sicrhau nad y dyn hwn a ddisgrifir yn yr Ysgrythurau.
Nid yw hwn ond penboethyn o Galilea,
Crwydryn yn chwilio am ychydig o sylw.
Rhaid cyfaddef i mi gredu i ni gael ei wared unwaith ac am byth,
ond hyd yn oed mewn marwolaeth y mae'n parhau i hau ei wenwyn.
Rhaid i chi edmygu ei ddilynwyr wedi dweud hynny.
Wedi ei wylio'n marw disgwyliais iddynt dewi,
ac encilio i'r cysgodion.
Fe wnaethant am gyfnod –
dim sôn amdanynt am wythnosau –
ond yn sydyn heb reswm o gwbl,
yn anwybyddu pob perygl yn cario ymlaen
o'r fan y gadawyd pethau ganddynt.
Wel, os mai chwilio am drwbl yw eu bwriad,
rwy'n ddigon parod i drefnu eu bod yn cael dilyn
yn ôl traed eu Meistr bob cam o'r ffordd i'r groes.
Ni wn beth a'u newidiodd,
ac nid wyf yn poeni rhyw lawer.
Fy nyletswydd i yw dinistrio'r cancr hwn,
dileu pob cyfeiliornad,
cyn i'r peth gael effaith arnom ninnau.
Deued a hwy yn ôl yn ymbil am drugaredd,
croger eu harweinwyr,
ac yna cawn weld os ydynt yn dal i honni ei fod yn fyw,
yna cawn weld pa fath o fywyd sydd ganddo i'w gynnig!

Gweddi

Arglwydd,
yr ydym yn gyndyn i dderbyn gwirioneddau newydd
am eu bod yn wahanol i arfer.
Fe feirniadwn yn hytrach na cheisio deall.
Fe fychanwn yn hytrach na myfyrio.
Am hynny, ni allwn adnabod

dy fod yn siarad â ni,
yn herio ein rhagfarnau
ac yn ein harwain i brofiadau newydd.
Arglwydd, wrth wynebu syniadau croes i'n harfer,
rho i ni ras i gydnabod fod mwy o angen newid arnom ni
nag arnynt hwy!

79

ROEDDWN AR FAI

Paul

Darllen: Actau 9:1-9

Yr oedd Saul yn dal i chwythu bygythion angheuol yn erbyn disgyblion yr Arglwydd, ac fe aeth at yr archoffeiriad a gofyn iddo am lythyrau at y synagogau yn Namascus, fel os byddai'n cael hyd i rywrai o bobl y Ffordd, yn wŷr neu'n wragedd, y gallai eu dal a dod â hwy i Jerwsalem. Pan oedd ar ei daith ac yn agosáu at Ddamascus, yn sydyn fflachiodd o'i amgylch oleuni o'r nef. Syrthiodd ar lawr, a chlywodd lais yn dweud wrtho, "Saul, Saul, pam yr wyt yn fy erlid i?" Dywedodd yntau, "Pwy wyt ti, Arglwydd?" Ac ebe'r llais, "Iesu wyf fi, yr hwn yr wyt ti yn ei erlid. Ond cod, a dos i mewn i'r ddinas, ac fe ddywedir wrthyt beth sy raid i ti ei wneud." Yr oedd y dynion oedd yn cyd-deithio ag ef yn sefyll yn fud, yn clywed y llais ond heb weld neb. Cododd Saul oddi ar lawr, ond er bod ei lygaid yn agored ni allai weld dim. Arweiniasant ef gerfydd ei law i mewn i Ddamascus. Bu am dridiau heb weld, ac ni chymerodd na bwyd na diod.

Myfyrdod

Roeddwn ar fai,
ac yn awr y mae cywilydd arnaf.
I feddwl fy mod i, Paul, wedi erlid y Meseia;
yr un y bu disgwyl mawr amdano.
Methais a'i adnabod,
dallwyd fi gan fy malchder a'm rhagfarnau.
Gwyliais ei ddilynwyr yn marw,
llawenhau yn eu marwolaeth,
yn ymffrostio fy mod yn gysylltiedig â'u dinistr.
Ac yna pan ddaeth cyfle,
dyma fanteisio ar y cyfle i'w difetha fy hunan.
Dyna oedd fy nghenhadaeth,
fy ngalwad,

a dilynais y llwybr hwnnw yn llawen,
yn fwystfilaidd.
Mae'n debyg fod y Cristnogion
yn crynu o glywed sŵn fy llais,
a chlodforais Dduw am hynny.
Arswydent wrth i mi nesau,
ac offrymais iddo fy niolchgarwch.
Bûm yn gyfrifol am
gyrff briwedig,
a meddyliau gorthrymedig,
a'r cwbl yn enw'r ffydd!
Ac yna'n sydyn,
drwy'r disgleirdeb,
gwelais wyneb Iesu,
a dagrau yn ei lygaid.
Yn y tawelwch,
clywais ei lais,
'Pam, Saul, Pam?
Ac yna sylweddolais y gwirionedd
dychrynllyd a rhyfeddol.
Y nhw oedd yn iawn –
ef oedd y Meseia,
wedi ei gyfodi.
Gwn hynny'n awr,
ac y mae fy nghydwybod yn llawn euogrwydd a thristwch.
Pam fy arbed i i oddef y fath ing?
Pam na fuasai wedi fy nharo i lawr yn y fan a'r lle?
Neu ai hyn, tybed, yw fy nghosb,
ei farn ef ar fy nhroseddau?
Ni all faddau i mi, rwy'n sicr o hynny;
nid ar ôl hyn i gyd.
A hyd yn oed pe bai'n maddau,
cyndyn iawn fyddai ei ddilynwyr i'm derbyn;
anodd iawn fuasai iddynt gredu fy mod wedi newid cymaint.
Felly, dyma fi,
Paul, erlidiwr Crist,
yn ymgreinio'n resynus o'i flaen;
Paul, dinistriwr yr Eglwys,

yn dyheu am gael fy ninistrio.
Gwnes gamgymeriad, camgymeriad mawr.
Ond y mae'n rhy hwyr i hel esgusion,
rhy hwyr am ddagrau,
rhy hwyr i wneud iawn,
rhy hwyr i bopeth.

Gweddi

O! Dduw byw,
er yn gwybod am ein camgymeriadau,
yr ydym yn gyndyn i'w cydnabod.
Yr ydym yn ofni colli enw da,
ac felly parhawn i gymeryd arnom fod popeth yn iawn,
ac ychwanegu ffalster at ffalster.
Rho i ni'r gostyngeiddrwydd angenrheidiol
i adnabod ein camgymeriadau,
i gydnabod ein camgymeriadau,
a cheisio dy faddeuant di.

80

ROEDD ARSWYD ARNAF

Ananias

Darllen: Actau 9: 10-19

Yr oedd rhyw ddisgybl yn Namascus o'r enw Ananias, a dywedodd yr Arglwydd wrtho ef mewn gweledigaeth, "Ananias." Dywedodd yntau, "Dyma fi, Arglwydd." Ac meddai'r Arglwydd wrtho, "Cod, a dos i'r stryd a elwir Y Stryd Union, a gofyn yn nhŷ Jwdas am ddyn o Darsus o'r enw Saul; cei hyd iddo yno, yn gweddïo; ac y mae wedi gweld mewn gweledigaeth ddyn o'r enw Ananias yn dod i mewn ac yn rhoi ei ddwylo arno i roi ei olwg yn ôl iddo." Atebodd Ananias, "Arglwydd, yr wyf wedi clywed gan lawer am y dyn hwn, faint o ddrwg mae wedi ei wneud i'th saint di yn Jerwsalem. Yma hefyd y mae ganddo awdurdod oddi wrth y prif offeiriad i ddal pawb sy'n galw ar dy enw di." Ond dywedodd yr Arglwydd wrtho, "Dos di; llestr dewis i mi yw hwn, i ddwyn fy enw gerbron y Cenhedloedd a'u brenhinoedd, a cherbron meibion Israel. Dangosaf fi iddo faint sy raid iddo'i ddioddef dros fy enw i." Aeth Ananias ymaith ac i mewn i'r tŷ, a rhoddodd ei ddwylo arno a dweud, "Y brawd Saul, yr Arglwydd sydd wedi fy anfon - sef Iesu, yr un a ymddangosodd iti ar y ffordd yma - er mwyn i ti gael dy olwg yn ôl, a'th lenwi â'r Ysbryd Glân." Yn y fan syrthiodd rhywbeth fel cen oddi ar ei lygaid, a chafodd ei olwg yn ôl. Cododd, ac fe'i bedyddiwyd, a chymerodd luniaeth ac ymgryfhaodd.

Myfyrdod

Roedd arswyd arnaf.
Yr oeddem wedi ceisio ei osgoi,
ac ymguddio am ein bywyd
a churiad y galon yn carlamu wrth ddisgwyl sŵn traed.
Gallwch ddychmygu, felly,
i mi gredu mai breuddwydio oeddwn –
neu fy mod yn drysu –
pan deimlais awydd sydyn i'w weld.

Saul! Roedd yr enw'n ddigon i greu iasau;
gelyn argyhoeddedig yr Eglwys,
erlidiwr dilynwyr Crist,
penderfynol o ddifa pob credadun.
Dyna fwriad ei ymweliad â Damascus,
i'n llusgo 'nôl mewn cadwyni,
i'n cosbi'n ddidrugaredd.
Er hynny, ni allwn dawelu'r llais:
'Dos i'w weld!'
Ceisiais anwybyddu'r llais,
ceisiais feddwl am bethau eraill,
ond i ddim pwrpas;
gwyddwn fod Duw yn fy ngalw.
Felly, dyma fynd,
a dod o hyd iddo,
a chael fod Iesu wedi dod o hyd iddo'n gyntaf.
Yr oedd yn ddall,
eto dywedodd wrthyf iddo weld y goleuni,
ei fod yn gweld yn gliriach nag erioed,
ac wrth iddo siarad rhedodd y dagrau i lawr ei ruddiau.
Gwyddwn beth oedd yn ceisio ei ddweud, ond yr oedd gennyf fy
amheuon i gychwn.
Tybiais mai magl ydoedd,
cynllwyn ddieflig i wthio'i ffordd i'r cylch mewnol a'n dal, i gyd.
Yr oeddwn yn disgwyl iddo godi ar ei draed,
a'i lygaid yn melltennu
i draflyncu ei ysglyfaeth.
Ond nid felly y bu.
Wrth ymestyn ato,
edrychodd arnaf am y tro cyntaf,
ac yr oedd cariad yn ei lygaid.
Nid anghofiaf yr arswyd
pan yn sefyll wrth ei ddrws,
wrth godi fy llaw i guro,
wrth roi fy nhraed dros y trothwy.
Ond nid anghofiaf chwaith
ei edrychiad wrth iddo agor ei lygaid,
edrychiad dyn wedi profi tangnefedd.

Rwy'n falch i Iesu roi imi'r dewrder angenrheidiol.
Derbyniodd Paul,
fe'i gwerthfawrogodd,
fe'i carodd.
Ond yr oedd yn dymuno i rywun arall wneud yr un fath.

Gweddi

Arglwydd,
fe'n geilw o bryd i'w gilydd i waith sy'n ymddangos yn amhosibl.
Er clywed dy lais ni dderbyniwn yr her.
Ond nid wyt ti byth yn gofyn i ni wneud dim
heb gyfrannu'r adnoddau angenrheidiol.
Rho i ni'r gwroldeb i ymateb i'th alwad,
gan wybod beth bynnag fo'r sefyllfa
yr wyt ti wrth law i'w gweddnewid
y tu hwnt i'n disgwyliadau.

81

MAE'N ANHYGOEL!

Paul

Darllen: Effesiaid 3: 7-13

Dyma'r Efengyl y deuthum i yn weinidog iddi yn ôl dawn gras Duw, a roddwyd i mi trwy weithrediad ei allu ef. I mi, y llai na'r lleiaf o'r holl saint, y rhoddwyd y ddawn raslon hon, i bregethu i'r Cenhedloedd anchwiliadwy olud Crist, ac i ddwyn i'r golau gynllun y dirgelwch a fu'n guddiedig ers oesoedd yn Nuw, Creawdwr pob peth, er mwyn i ysblander amryfal ddoethineb Duw gael ei hysbysu yn awr, trwy'r eglwys, i'r tywysogaethau a'r awdurdodau yn y nefoedd. Y mae hyn yn unol â'r arfaeth dragwyddol a gyflawnodd yng Nghrist Iesu ein Harglwydd. Ynddo ef, a thrwy ffydd ynddo, y mae gennym hyder i ddod at Dduw yn ffyddiog. Yr wyf yn erfyn, felly, ar ichwi beidio â digalonni o achos fy nioddefiadau drosoch; hwy, yn wir, yw eich gogoniant chwi.

Myfyrdod

Mae'n anhygoel!
I feddwl fy mod i, Paul,
y gŵr a gasaodd Iesu
wedi dod i'w garu cymaint.
Wrth ddwyn i gof y person oeddwn,
mor sicr o'm cyfiawnder fy hun,
mor benderfynol o ddileu ei enw,
rwy'n rhyfeddu at y newid.
Ond mi wnes,
yn llwyr,
nid yn allanol yn unig
ond yn fy nghalon a'm henaid,
i ddyfnderoedd fy mod.
Rwy'n berson newydd,
wedi fy nghreu o'r newydd gan fy Ngwaredwr.

Nid fy mod yn berffaith, o bell ffordd,
ni fuaswn byth yn honni hynny.
Rwy'n gwneud camgymeriadau, yn rhy aml,
weithiau yn anobeithio bod y person y dymunwn fod.
Ond hyd yn oed y pryd hynny, yn y man iselaf,
wrth fethu, a methu drachefn,
gwn ei fod ef gyda mi,
yn fy ngwneud yn gyfan eto.
Buaswn wedi dirmygu'r syniad hwnnw amser maith yn ôl.
Ond yna deuthum wyneb yn wyneb ag ef,
yno ar y ffordd i Ddamascus,
a throwyd fy mywyd wyneb i waered.
Galwodd fi i fod yn apostol,
yn llysgennad yn ei wasanaeth,
ac er i mi gyfrif fy hun y lleiaf o'r sawl sy'n dwyn yr enw,
dyma fy llawenydd pennaf
a'r anrhydedd uchaf.
Ni fu'n hawdd cofiwch chi –
rwy'n dwyn y creithiau
a gwisgo'r cadwyni.
Ac er i mi gyflawni llawer, diolch iddo ef,
adeiladu'r Eglwys,
hyrwyddo'r deyrnas –
gwn nad yw'r gwaith ond dechrau,
a chymaint i'w gyflawni eto.
Felly rwy'n dal ati gan gadw fy ngolygon ar un nod, –
ei wasanaethu'n llawnach,
ei garu'n ddwysach,
ei adnabod yn llwyrach,
hyd y dydd
y caf ei weld
a'i adnabod
wyneb yn wyneb
calon wrth galon.

Gweddi

Arglwydd,

diolch i ti am ein galw –
ein galw i'th wasanaethu,
i fod yn bobl y ffordd, yn rhannu gwaith dy deyrnas.
Diolch am ein galw fel yr ydym,
gyda'n holl feiau, gwendidau ac amheuon.
Diolch am ein derbyn nid yn ôl ein haeddiant,
ond drwy dy ras, dy gariad a'th drugaredd.
Uwchlaw popeth diolchwn am y sicrwydd
fod Crist gyda ni drwy ei ysbryd,
yn gweithio yn ein calonnau
i newid ein bywydau a'n tynnu yn nes atat ti.

82

PWY FASE'N CREDU?

Silas

Darllen: Actau 15:22-32

Yna penderfynodd yr apostolion a'r henuriaid, ynghyd â'r holl eglwys, ddewis gwŷr o'u plith a'u hanfon i Antiochia gyda Paul a Barnabas, sef Jwdas, a elwid Barsabas, a Silas, gwŷr blaenllaw ymhlith y brodyr. Rhoesant y llythyr hwn iddynt i fynd yno: "Y brodyr, yn apostolion a henuriaid, at y brodyr sydd o blith y Cenhedloedd yn Antiochia a Syria a Cilicia, cyfarchion. Oherwydd inni glywed fod rhai ohonom ni wedi'ch tarfu â'u geiriau, ac ansefydlu eich meddyliau, heb i ni eu gorchymyn, yr ydym wedi penderfynu'n unfryd ddewis gwŷr a'u hanfon atoch gyda'n cyfeillion annwyl, Barnabas a Paul, dynion sydd wedi cysegru eu bywydau dros enw ein Harglwydd Iesu Grist. Felly yr ydym yn anfon Jwdas a Silas, a byddant hwy'n mynegi yr un neges ar lafar. Penderfynwyd gan yr Ysbryd Glân a chennym ninnau beidio â gosod arnoch ddim mwy o faich na'r pethau angenrheidiol hyn: ymgadw rhag bwyta yr hyn sydd wedi ei aberthu i eilunod, neu waed, neu'r hyn sydd wedi ei dagu, a rhag anlladrwydd. Os cadwch rhag y pethau hyn, fe wnewch yn dda. Ffarwel." Anfonwyd hwy, felly, a daethant i lawr i Antiochia, ac wedi galw'r gynulleidfa ynghyd, cyflwynwyd y llythyr. Wedi ei ddarllen, yr oeddent yn llawen ar gyfrif yr anogaeth yr oedd yn ei rhoi. Gan fod Jwdas a Silas hwythau'n broffwydi, dywedasant lawer i annog y brodyr a'u cadarnhau.

Myfyrdod

Pwy fase'n credu?
Wedi popeth a ddywedais amdano,
fy mod i yn cyfeillachu gyda Paul,
cydgerdded ffyrdd Macedonia,
hwylio'r moroedd,
mentro fy mywyd ochr yn ochr ag ef.
Pan gychwynnais ddilyn Crist

roeddwn ymhlith gwrthwynebwyr ffyrnicaf Paul.
Roedd gennyf ryw gymaint o barch tua ato –
roedd ei wroldeb a'i benderfyniad yn haeddu hynny o leiaf –
ond credais iddo fynd yn rhy bell,
pregethu i'r Cenhedloedd!
Roedd hynny'n dderbyniol i raddau –
fe fu croeso iddynt erioed
dim ond iddynt ddilyn ein harferion, derbyn ein cyfraith, ac ymarfer ein defodau;
ond gwelodd Paul bethau'n wahanol,
gan eu derbyn fel yr oeddent,
un gyfraith i ni ac un arall iddynt hwy,
cyfraith Moses,
cyfraith Crist,
Roedd hynny braidd yn eithafol
ac fe ymdeimlwyd â rheidrwydd i'w hysbysu o'm hanfodlonrwydd.
Iddew yn gyntaf,
Cristion yn ail,
felly y gwelwn i bethau –
y ddau'n perthyn yn anwahanadwy,
un yn dibynnu ar y llall,
ond yn y drefn honno.
Ond yna fe'i clywais fy hun,
wedi iddo ei ddwyn i Jerwsalem i gyfiawnhau ei weithredoedd,
ond rhaid i mi gyfaddef iddo gael argraff ddofn arnaf.
Yr oedd yn iawn –
gallwn weld hynny yn syth,
er i mi geisio dal yn ei erbyn.
Daeth y Cenhedloedd i'r ffydd,
wedi cyfarfod Crist,
wedi derbyn ei ysbryd,
ac os oedd Duw yn barod i'w croesawu,
pwy oeddwn i dybio'n wahanol?
Sylweddolais mai fi fyddai'n gorfod newid nid nhw,
a thrwy ras Duw rwyf wedi llwyddo.
Y mae Paul a minnau bellach yn gydweithwyr,
yn rhannu'r gwaith o bregethu'r Efengyl,
yn Gristnogion yn gyntaf,

yn Iddewon yn ail.
Pwy fase'n credu?
Pwy fase'n meddwl y gallwn newid cymaint?
Ond dyna yw ffydd:
cael eich adnewyddu a'ch adfer drwy Iesu.
Gwn erbyn hyn,
beth bynnag fo'r sefyllfa
nad oes neb y tu hwnt i allu adnewyddol ei gariad.

Gweddi

Arglwydd,
nid ni a'th ddewisodd di, ti a'n dewisodd ni.
Ti agorodd y ffordd i ni fedru dy adnabod,
ti estynnodd atom yn dy gariad.
Cynorthwya ni i gofio hynny ac i fod yn agored i'r posibiliadau a ddaw yn ei sgil.
Maddau i ni am gyfyngu arnat.
Dysg i ni mai Duw'r annisgwyl wyt ti,
Duw sy'n aros i'n synnu a chyfoethogi'n bywydau.

83

MAENT YN CREDU MOD I'N GWALLGOFI

Lydia

Darllen: Actau 16:11-15

Ac wedi hwylio o Troas, aethom ar union hynt i Samothrace, a thrannoeth i Neapolis, ac oddi yno i Philipi; dinas yw hon yn rhanbarth gyntaf Macedonia, ac y mae'n drefedigaeth Rufeinig. Buom yn treulio rhai dyddiau yn y ddinas hon. Ar y dydd Saboth aethom y tu allan i'r porth at lan afon, gan dybio fod yno le gweddi. Wedi eistedd, dechreusom lefaru wrth y gwragedd oedd wedi dod ynghyd. Ac yn gwrando yr oedd gwraig o'r enw Lydia, un oedd yn gwerthu porffor, o ddinas Thyatira, ac un oedd yn addoli Duw. Agorodd yr Arglwydd ei chalon hi i ddal ar y pethau yr oedd Paul yn eu dweud. Fe'i bedyddiwyd hi a'i theulu, ac yna deisyfodd arnom, gan ddweud, "Os ydych yn barnu fy mod yn credu yn yr Arglwydd, dewch i mewn ac arhoswch yn fy nhŷ." A mynnodd ein cael yno.

Myfyrdod

Maent yn credu mod i'n gwallgofi, yn cymysgu a'r busnes Iesu yma –
yn credu y dylwn ddefnyddio mwy o synnwyr cyffredin –
a gallaf ddeall eu rhesymeg.
Felly y credais innau unwaith:
pam mentro wedi ymdrechu i wneud llwyddiant o'ch bywyd?
Pam mentro'r cyfan ar grefydd newydd?
Rwyf eisoes wedi tynnu nyth cacwn i'm pen
yn gwrthod delwau Rhufain ac addoli Duw Israel.
Roedd hynny'n beth rhyfedd ac amheus yn nhyb rhai.
Ond rhaid cyfaddef na fu i'r peth amharu ar fy rhagolygon.
Roedd fy musnes yn ffynnu,
fy ffordd o fyw yn gysurus,,
a minnau yn aelod gwerthfawr o'r gymdeithas,
yn gonglfaen y sefydliad.
Ond yna clywais am Iesu, ac fe'm swynwyd ar unwaith.

Mae'n debyg mai dylanwad pregethu Paul oedd hynny.
Yr oedd ei ffydd mor gadarn,
mor fyw,
ac fe ddaliais ar bob gair a ddaeth o'i enau,
gan wybod mai Iesu oedd yr un i mi,
yr un peth hwnnw oedd ar goll yn fy mywyd,
yr ateb y bûm yn chwilio amdano.
Beth arall allwn ei wneud ond ei dderbyn?
Beth arall allwn ei wneud ond ei gydnabod yn Arglwydd?
Fe wyddwn am y dadlau fu amdano,
casineb yr Iddewon,
amheuon y Rhufeiniaid,
gwyddwn fy mod yn mentro popeth oedd yn eiddo i mi.
Ond unwaith yr agorais fy nrws i'w ddilynwr
nid oedd troi yn ôl i fod.
Dangosais fy lliwiau,
gwneuthum fy safiad,
ac uniaethu fy hunan â Iesu.
Hwyrach mod i'n wallgof,
mae'n bosibl y dylwn ailfeddwl,
ond nid yw'n gwneud dim gwahaniaeth.
Er iddynt apelio arnaf i gadw'n ddistaw,
does gennyf ddim dewis –
mae'n rhaid i mi ei ddilyn a'i wasanaethu doed a ddelo.
Mi wn eu bod yn meddwl yn dda,
a'u bod yn dymuno fy ngwarchod rhag cam
a rwy'n ddiolchgar iddynt am eu gofal.
Ond hyd yn oed os ydynt yn iawn a 'mod i'n colli'r cyfan,
does dim ots,
rwyf wedi derbyn mwy nag y gallwn ei golli byth.

Gweddi

Arglwydd Iesu Grist,
uniaethaist dy hun â'r ddynoliaeth,
gan rannu yn ein marwolaeth yn ogystal â'n bywyd.
Maddau i ni am i ni fod yn gyndyn i uniaethu'n hunain â thi.
Yr ydym yn ofni barn pobl eraill amdanom,

yn ofni cael ein camddeall.,
yn poeni am ein rhagolygon.
Arglwydd,
cynorthwya ni i'th roi di yn gyntaf yn ein bywyd,
hyd yn oed pan yw hynny yn golygu rhoi popeth a garwn yn ail.
Dysg i ni ddangos yn ein bywyd yr hyn a honnwn yn ein siarad.

84

GWYDDWN Y BYDDAI HELBUL

Silas

Darllen: Actau 16: 16-24

Rhyw dro pan oeddem ar ein ffordd i'r lle gweddi, daeth rhyw eneth a chanddi ysbryd dewiniaeth i'n cyfarfod, un oedd yn dwyn elw mawr i'w meistri trwy ragfynegi pethau. Dilynodd hon Paul a ninnau, a gweiddi, "Gweision y Duw Goruchaf yw'r dynion hyn, ac y maent yn cyhoeddi i chwi ffordd iachawdwriaeth." Gwnaeth hyn am ddyddiau lawer. Blinodd Paul arni, a throes ar yr ysbryd a dweud, "'Rwy'n gorchymyn i ti, yn enw Iesu Grist, ddod allan ohoni." Ac allan y daeth, y munud hwnnw. Pan welodd ei meistri hi fod eu gobaith am elw wedi diflannu, daliasant Paul a Silas, a'u llusgo i'r farchnadfa o flaen yr awdurdodau, ac wedi dod â hwy gerbron yr ynadon, meddent, "Y mae'r dynion yma'n cythryblu ein dinas ni; Iddewon ydynt, ac y maent yn cyhoeddi defodau nad yw gyfreithlon i ni, sy'n Rhufeinwyr, eu derbyn na'u harfer." Yna ymunodd y dyrfa yn yr ymosod arnynt. Rhwygodd yr ynadon y dillad oddi amdanynt, a gorchymyn eu curo â gwialennod. Ac wedi rhoi curfa dost iddynt bwriasant hwy i garchar, gan rybuddio ceidwad y carchar i'w cadw yn ddiogel. Gan iddo gael y fath rybudd, bwriodd yntau hwy i'r carchar mewnol, a rhwymo'u traed yn y cyffion.

Myfyrdod

Gwyddwn y byddai helbul –
yr eiliad i ni gyrraedd Philipi a chyfarfod y gaethferch –
gallwn weld yr helbul yn dod.
Doedd Paul ddim yn mynd i droi'i gefn,
na, dim Paul –
nid dyna ei ffordd.
Gwyddai ei bod yn cael ei defnyddio,
ei defnyddio'n sinigaidd er mwyn elw person arall,
ac nid ydoedd yn ddyn i gau ei geg,
beth bynnag fyddai'r canlyniadau

Gwnaeth ei orau, cofiwch,
yn ymwybodol o'r drafferth oedd o'i flaen.
Rhaid oedd ryddhau'r ferch hon
nid yn unig oddi wrth ei meistr, er mai hynny oedd un o'r canlyniadau.
Dylech fod wedi gweld wyneb y dyn –
yr oedd yn ddulas –
ni allaf ei feio chwaith;
sicrhaodd y ferch cryn dipyn o elw iddo dros y blynyddoedd,
ond diolch i Paul daeth y cyfan i ben.
Credais y byddai yn ein lladd yn y fan a'r lle,
ond trwy drugaredd camodd yr awdurdodau i'r canol.
Nid eu bod nhw'n llawer gwell –
nid anghofiaf yn hawdd y gweir a gawsom ganddynt,
gan adael creithiau fydd yn parhau am byth.
Beth bynnag, dyna lle'r oeddem,
dan glo, yn ymgeleddu'n briwiau,
pan ddechreuodd Paul ganu,
a chlodfori Duw
ac yn offrymu diolch!
Fedrwch chi gredu'r peth?
Fedrwn i ddim ar y pryd!
Ond ymunais yn y canu gyda hyn, yn grediniol mai ef a wyddai orau.
A'r foment nesaf, anrhefn llwyr –
y ddaear yn crynu, y to'n disgyn a'r drysau'n agor.
Gallem fod wedi rhedeg a dianc i ryddid,
a gadael i'r gwarchodwr dderbyn y canlyniadau, a pham lai?
Ond nid oedd Paul yn fodlon gwneud hynny,
mynnodd ein bod yn aros, gan ein sicrhau y byddai Duw y ein rhyddhau
yn ei amser ei hun.
Ac felly y bu.
Wele ni'n cerdded yn rhydd,
gan adael yr awdurdodau gyda'i cynffonnau rhwng eu traed.
Ond nid yn unig ni a ryddhawyd y diwrnod hwnnw, sylweddolaf hynny
erbyn hyn;
ond y gaethferch, ceidwad y carchar a'i deulu,
pob un ohonynt wedi eu cyffwrdd gan rym gwaredigol, Iesu.
Diolchaf i Dduw ein bod yn rhydd,
ond yr hyn na allaf ddeall

yw'r hyn a ddywedodd Paul wrthyf ar y ffordd allan.
'Rhydd?' meddai, 'Yr ydym bob amser yn rhydd, hyd yn oed yng ngharchar!'
Allwch chi wneud synnwyr o hynny?
Mi garwn i.

Gweddi

Arglwydd Iesu,
addewaist y byddai'r sawl sy'n dy ddilyn
yn cael gwybod y gwirionedd,
a byddai'r gwirionedd yn eu rhyddhau.
Dysg i ni ystyr hynny.
Dysg i ni ollwng gafael ar bopeth sy'n ein caethiwo,
popeth sy'n ein rhwystro i fod yr hyn yr wyt ti yn dymuno i ni fod.
Dysg i ni mai drwy fod o wasanaeth i ti
y deuwn i fwynhau gwir ryddid.

85

LLEFARODD Y DYN GYDAG ARGYHOEDDIAD

Dionysius, Aelod o Lys yr Areopagus

Darllen: Actau 17:22-34

Safodd Paul yng nghanol yr Areopagus, ac meddai, "Wŷr Athen, yr wyf yn gweld ar bob llaw eich bod yn dra chrefyddgar. Oherwydd wrth fynd o gwmpas ac edrych ar eich pethau cysegredig, cefais yn eu plith allor ac arni'n ysgrifenedig, 'I dduw nid adwaenir'. Yr hyn, ynteu, yr ydych chwi'n ei addoli heb ei adnabod, dyna'r hyn yr wyf fi'n ei gyhoeddi i chwi. Y Duw a wnaeth y byd a phopeth sydd ynddo, nid yw ef, ac yntau'n Arglwydd nef a daear, yn preswylio mewn temlau o waith llaw. Ni wasanaethir ef chwaith â dwylo dynol, fel pe bai arno angen rhywbeth, gan mai ef ei hun sy'n rhoi i bawb fywyd ac anadl a'r cwbl oll. Gwnaeth ef hefyd o un dyn bob cenedl o ddynion, i breswylio ar holl wyneb y ddaear, gan bennu cyfnodau ordeiniedig a therfynau eu preswylfod.Yr oeddent i geisio Duw, yn y gobaith y gallent rywfodd ymbalfalu amdano a'i ddarganfod; ac eto nid yw ef nepell oddi wrth yr un ohonom.

> 'Oherwydd ynddo ef yr ydym yn byw
> ac yn symud ac yn bod',

fel, yn wir, y dywedodd rhai o'ch beirdd chwi:

> 'Canys ei hiliogaeth ef hefyd ydym ni.'

Os ydym ni, felly, yn hiliogaeth Duw, ni ddylem dybio fod y Duwdod yn debyg i aur neu arian neu faen, gwaith nadd celfyddyd a dychymyg dyn. Edrychodd Duw heibio, yn wir, i amserau anwybodaeth; ond yn awr y mae'n gorchymyn i ddynion fod pawb ymhob man i edifarhau, oblegid gosododd ddiwrnod pryd y bydd yn barnu'r byd mewn cyfiawnder, trwy ŵr a benododd, ac fe roes sicrwydd o hyn i bawb trwy ei atgyfodi ef oddi wrth y meirw." Pan glywsant am atgyfodiad y meirw, dechreuodd rhai wawdio, ond dywedodd eraill, "Cawn dy wrando ar y pwnc hwn rywdro eto." Felly aeth Paul allan o'u mysg. Ond ymlynodd rhai gwŷr wrtho, a chredu, ac yn eu plith Dionysius, aelod o lys yr Areopagus, a gwraig o'r enw Damaris, ac eraill gyda hwy.

Myfyrdod

Llefarodd y dyn gydag argyhoeddiad –
rwy'n fodlon cyfaddef –
fel pe tai'n credu pob gair a lefarwyd ganddo.
Roedd ei ddadleuon yn wan ar adegau,
yn amddifad o graffter ein hathronwyr ni;
Ond fe wnaeth ei orau i gyfleu ei neges,
yn fwy felly na neb arall a gyfarfûm.
Roedd hi'n amlwg iddo wneud ei waith cartref,
oherwydd iddo siarad â ni mewn mod y gallem ei ddeall.
Nid chwarae o gwmpas oedd ei fwriad,
na cheisio gwneud enw iddo'i hun.
Gallech weld yn syth ei fod yn gwbl ddiffuant,
yn awyddus i gyfathrebu ei neges.
Anaml iawn y clywech y fath beth yma, rhaid i mi gyfaddef,
mae'n frwydr barhaus yma,
a phawb yn ceisio cael y trechaf ar ei gilydd mewn dadl.
Eisteddais ganwaith
tra bo'r drwg a'r da
bywyd a marwolaeth
yn cael eu taflu o un pen i'r llall fel tegan plentyn.
Nid felly Paul –
siaradodd fel un â rheidrwydd arno,
fel un a'i neges yn llosgi ynddo,
a phan lefarodd am Iesu,
yr oedd ei lygaid ar dân a'i wyneb yn disgleirio.
Ni fedraf ddweud iddo fy argyhoeddi,
ddim eto beth bynnag;
Rhaid ei glywed eto cyn mynd mor bell â hynny.
Ond rwy'n chwilfrydig,
yn awyddus i wybod mwy,
oherwydd pan soniodd am fywyd a marwolaeth,
am Iesu'n atgyfodi,
llefarodd fel un a wyddai,
fel un a welodd,
fel un heb amheuaeth.
Os ydyw'n iawn fod Iesu'n fyw,

os dywedodd y gwir,
yna fe garwn ei gyfarfod fy hunan;
nid ymddiried yn ffydd rhywun arall.
A all hyn fod yn wir?
Mae'n ymddangos yn amhosibl.
Eto nid oes gwadu, ar waetha'r beirniaid i gyd –
iddo lefaru gydag argyhoeddiad,
gyda sêl na chlywais o'r blaen,
a chariad y carwn ei rannu.

Gweddi

Arglwydd,
nid wyt yn ein galw i gyd i fod yn efengylwyr ac yn bregethwyr y Gair,
ond yr wyt yn ein galw i fod yn dystion.
Yn Paul fe ddangosaist i ni beth yw ystyr hynny
os ydym i gyflawni'r gwaith yn effeithiol
Nid defnyddio geiriau a dadleuon slic
ond siarad yn agored o'r galon am fawrion weithredoedd Duw.
Arglwydd, yn dy gariad,
cynorthwya ni i ddweud yr hyn a glywsom.

86

BACHGEN OEDDWN

Timotheus

Darllen: 2Timotheus 1:1-7; 1Timotheus 4:11-16

Paul, apostol Crist Iesu trwy ewyllys Duw, yn unol â'r addewid am y bywyd sydd yng Nghrist Iesu, at Timotheus, ei blentyn annwyl. Gras a thrugaredd a thangnefedd i ti oddi wrth Dduw ein Tad a Christ Iesu ein Harglwydd. Yr wyf yn diolch i Dduw, yr hwn yr wyf yn ei wasanaethu â chydwybod bur fel y gwnaeth fy nhadau, pan fyddaf yn cofio amdanynt yn fy ngweddïau, fel y gwnaf yn ddi-baid nos a dydd. Wrth gofio am dy ddagrau, 'rwy'n hiraethu am dy weld a chael fy llenwi â llawenydd. Daw i'm cof y ffydd ddiffuant sydd gennyt, ffydd a drigodd gynt yn Lois, dy nain, ac yn Eunice, dy fam, a gwn yn sicr ei bod ynot tithau hefyd. O ganlyniad, yr wyf yn dy atgoffa i gadw ynghyn y ddawn a roddodd Duw iti, y ddawn sydd ynot trwy arddodiad fy nwylo i. Oherwydd nid ysbryd sy'n creu llwfrdra a roddodd Duw i ni, ond ysbryd sy'n creu nerth a chariad a hunan ddisgyblaeth. Gorchymyn y pethau hyn i'th bobl, a dysg hwy iddynt. Paid â gadael i neb dy ddiystyru am dy fod yn ifanc. Yn hytrach, bydd di'n batrwm i'r credinwyr mewn gair a gweithred, mewn cariad a ffydd a phurdeb. Hyd nes imi ddod, rhaid i ti ymroi i'r darlleniadau a'r pregethu a'r hyfforddi. Paid ag esgeuluso'r ddawn sydd ynot ac a roddwyd iti trwy eiriau proffwydol ac arddodiad dwylo'r henuriaid. Gofala am y pethau hyn, ymdafla iddynt, a bydd dy gynnydd yn amlwg i bawb. Cadw lygad arnat ti dy hun ac ar yr hyfforddiant a roddi, a dal ati yn y pethau hyn. Os gwnei di felly, yna fe fyddi'n dy achub dy hun a'r rhai sy'n gwrando arnat.

Myfyrdod

Bachgen oeddwn,
plentyn o gymharu â'r rhan fwyaf ohonynt hwy,
ac ni allwn ddeall faint o gaffaeliad fyddwn i i'r achos.
Yr oedd fy nghalon yn barod,

yn awyddus i fwrw i'r gwaith.
Yr oedd fy ffydd yn gadarn,
yn byrlymu fel afon yn tarddu o'r mynydd,
ond nid oeddwn yn sïwr y cawn fy nerbyn
ac a oedd gennyf yr hawl i ddisgwyl iddynt wneud hynny.
Roedd ganddynt fwy o brofiad na mi wedi'r cyfan,
wedi crynhoi trysorfa o ddoethineb dros y blynyddoedd,
ac felly pam y dylent wrando ar rywun hanner eu hoedran
dim ond am ei fod yn credu fod Duw wedi ei alw?
Ond er i rai wfftio'r syniad,
doedd gan y mwyafrif ddim gwrthwynebiad.
Buont yn garedig wrthyf,
yn gyfeillgar,
yn ofalus
ac yn barchus,
er i mi weithiau fynd dros ben llestri.
O ba rai y pennaf oedd Paul,
fy nghyfaill annwyl Paul.
Mae arnaf ddyled mawr i'r dyn hwn!
Newidiodd hwn fy mywyd!
Arweiniodd fi a'm cynorthwyo i gerdded yn ôl traed Crist.
Ac er i mi geisio diolch iddo droeon
yr oedd yn anfodlon,
gan bwysleisio mai Iesu ddylai fod yn wrthrych fy niolchgarwch.
Iesu sy'n rhoi gwerth ar yr hen a'r ifanc,
Iesu a'm dewisodd i.
Rwyf wedi dal fy ngafael yn dynn yn y gwirionedd hwnnw,
yn feunyddiol,
yn flynyddol,
ac erbyn hyn fi sy'n hen,
yn derbyn gan yr ifanc.
Rhaid i mi gydnabod y gall Duw weithio drwy bawb.
Mae'n anodd derbyn hynny weithiau,
nes i mi fwrw trem yn ôl,
a chofio'r dyddiau gynt.
Yna fe sylweddolaf, drachefn, os gallai Crist fy nefnyddio i
gall ddefnyddio rhywun!

Gweddi

Arglwydd,
fe ddywedwn fod lle i bawb yn dy deyrnas,
ond a ydym yn credu hynny mewn gwirionedd?
Yr ydym mor barod i ddosbarthu pobl i liw eu croen,
eu crefydd, eu hoed, eu rhyw.
Y mae gennym ein rhagfarnau
ynglŷn â phwy sy'n dderbyniol neu'n annerbyniol,
a thueddwn i ddiystyru'r sawl nad ydynt yn derbyn ein syniadau ni.
Cynorthwya ni i weld pobl fel yr wyt ti yn eu gweld,
a chydnabod fod pawb, yn hytrach na'r ychydig,
yn cyfrif gennyt ti.

87

BU'N ANODD WEITHIAU

Paul

Darllen: 2Timotheus:4: 1-8

Yng ngŵydd Duw a Christ Iesu, yr hwn sydd i farnu y byw a'r meirw, yr wyf yn dy rybuddio ar gyfrif ei ymddangosiad a'i deyrnas ef: pregetha'r gair; bydd yn barod bob amser, boed yn gyfleus neu'n anghyfleus; argyhoedda; cerydda; calonoga; a hyn ag amynedd diball wrth hyfforddi. Oherwydd fe ddaw amser pan na fydd dynion yn goddef athrawiaeth iach ond yn dilyn eu chwantau eu hunain, a chrynhoi o'u cwmpas liaws o athrawon i oglais eu clustiau, gan droi oddi wrth y gwirionedd i wrando ar chwedlau. Ond yn hyn oll cadw di ddisgyblaeth arnat dy hun: goddef galedi; gwna dy waith fel pregethwr yr Efengyl; cyflawna holl ofynion dy weinidogaeth. Oherwydd y mae fy mywyd i eisoes yn cael ei dywallt mewn aberth, ac y mae amser fy ymadawiad wedi dod. Yr wyf wedi ymdrechu'r ymdrech lew, yr wyf wedi rhedeg yr yrfa i'r pen, yr wyf wedi cadw'r ffydd. Bellach y mae'r dorch, a roddir am gyfiawnder, ar gadw i mi; a bydd yr Arglwydd, y Barnwr cyfiawn, yn ei chyflwyno hi i mi ar y Dydd hwnnw, ac nid i mi yn unig ond i bawb fydd wedi rhoi eu serch ar ei ymddangosiad ef.

Myfyrdod

Bu'n anodd weithiau,
yn anos nag y credwch chi fyth.
Rhedais yr yrfa, cedwais y ffydd,
yn falch fy mod wedi chwarae fy rhan,
ond bu adegau,
rhy aml o lawer,
pan gredais na allwn ddyfalbarhau.
Nid y poen yn unig a'm blinai,
er bod hwnnw'n ddigon creulon;
fe'm fflangellwyd,
pledwyd fi â cherrig,

ymosodwyd arnaf a'm curo.
Nid y blinder yn unig,
er i hwnnw bron â'm parlysu ar adegau;
cymalau'n dolurio wedi siwrnai arall,
fy ngheg yn sych a'm stumog yn wag,
blinais bron at angau.
Nid y tymhorau o garchar a brofais
er i'r rheini fy llethu;
cyfyngwyd ar fy rhyddid,
clymwyd fi â chadwyni,
profais unigrwydd y gell.
Gadawodd y cyfan eu hôl, does dim amheuaeth;
ond yr hyn fu'n anos ei oddef,
oedd y chwerwedd,
y beirniadu,
hyd yn oed y casineb
gan rai a gyfrifais yn gyfeillion.
Maent wedi gwylio pob cam o'r eiddof,
gwrthwynebu pob symudiad,
condemnio pob llwyddiant;
nid yn unig eu bod yn gyndyn i ganmol
ond bu'n rhaid iddynt gorddi'r elyniaeth,
ac annog erledigaeth,
a'r cwbl yn enw Iesu.
Y mae'n ddirgelwch i mi, gan i mi wneud cymaint i'w gyhoeddi,
fy unig feddwl,
fy unig nod,
oedd rhannu'r ffydd a gweld ei enw'n ddyrchafedig.
A oedd bai arnaf am hynny?
Ac eto mae'r gwrthwynebiad yn parhau.
Y mae wedi fy mrifo yn fwy na dim,
a gofynnais i mi fy hun yn aml a allwn barhau.
Ond daliais ati, ar waetha'r cwbl,
ac yn awr er i chwi fy nghael eto yn fy nghadwynau,
yn wynebu'r prawf,
yn wynebu marwolaeth,

gwn y bydd i mi redeg yr yrfa i'r pen.
Oherwydd dysgais i edrych ar Iesu a chofio yr hyn a oddefodd ef,
y poen,
y galar,
yr unigrwydd,
a'r cwbl er mwyn pobl fel fi a boerodd ar ei enw.
Do, bu'n anodd weithiau,
yn anos nag y credwch chi fyth,
ond bu'n anodd iddo yntau hefyd,
yn anos nag i ni.
A daliodd ef ati i'r diwedd un.

Gweddi

O! Arglwydd Dduw,
gwyddost nad yw bywyd yn hawdd bob amser.
Fe deimlwn yn flinedig, yn siomedig a rhwystredig,
yn ofnus, yn sâl, yn gaeth ac wedi'n gorlethu.
Ond fel y dysgodd yr apostol Paul , beth bynnag a ddioddefwn,
nid yw'n ddim o'i gymharu â'r hyn a ddioddefodd Iesu Grist drosom ni.
Boed i'r gwirionedd hwn ein nerthu i frwydro ymlaen, a bod yn
ffyddlon hyd y diwedd,
gan wybod y bydd ef yn ddigon ar gyfer ein holl anghenion.

88

MAE'R DYN YNA'N DRYSU

Ffestus

Darllen: Actau 26: 1-2, 9-18, 24

Meddai Agripa wrth Paul, "Y mae caniatâd iti siarad drosot dy hun." Yna fe estynnodd Paul ei law, a dechrau ei amddiffyniad: "Yr wyf yn f'ystyried fy hun yn ffodus, y Brenin Agripa, mai ger dy fron di yr wyf i'm hamddiffyn fy hun heddiw ynglŷn â'r holl gyhuddiadau y mae'r Iddewon yn eu dwyn yn fy erbyn . . . Eto, yr oeddwn i fy hun yn tybio unwaith y dylwn weithio'n ddygn yn erbyn enw Iesu o Nasareth; a gwneuthum hynny yn Jerwsalem. Ar awdurdod y prif offeiriaid, caeais lawer o'r saint mewn carcharau, a phan fyddent yn cael eu lladd, rhoddais fy mhleidlais yn eu herbyn; a thrwy'r holl synagogau mi geisiais lawer gwaith, trwy gosb, eu gorfodi i gablu. Yr oeddwn yn enbyd o ffyrnig yn eu herbyn, ac yn eu herlid hyd ddinasoedd estron hyd yn oed. Pan oeddwn yn teithio i Ddamascus ar y perwyl hwn gydag awdurdod a chennad y prif offeiriaid, gwelais ar y ffordd ganol dydd, O frenin, oleuni mwy llachar na'r haul yn llewyrchu o'r nef o'm hamgylch i a'r rhai oedd yn teithio gyda mi. Syrthiodd pob un ohonom ar y ddaear, a chlywais lais yn dweud wrthyf yn iaith yr Iddewon, 'Saul, Saul, pam yr wyt yn fy erlid i? Y mae'n galed i ti wingo yn erbyn y symbylau.' Dywedais innau, 'Pwy wyt ti, Arglwydd?' A dywedodd yr Arglwydd, 'Iesu wyf fi, yr hwn yr wyt ti yn ei erlid. Ond cod a saf ar dy draed; oherwydd i hyn yr wyf wedi ymddangos i ti, sef i'th benodi di yn was i mi, ac yn dyst o'r hyn yr wyt wedi ei weld, ac a weli eto, ohonof fi. Gwaredaf di oddi wrth y bobl hyn ac oddi wrth y Cenhedloedd yr wyf yn dy anfon atynt, i agor eu llygaid, a'u troi o dywyllwch i oleuni, o awdurdod Satan at Dduw, er mwyn iddynt gael maddeuant pechodau a chyfran ymhlith y rhai a sancteiddiwyd trwy ffydd ynof fi.'" Ar ganol yr amddiffyniad hwn dyma Ffestus yn gweiddi, "Yr wyt yn wallgof, Paul; y mae dy fawr ddysg yn dy yrru di'n wallgof."

Myfyrdod

Mae'r dyn yna'n drysu,
yn gwbl wallgof.
Clywais ambell stori yn ystod fy oes,
ond dyma'r orau eto.
Iesu o Nasaraeth wedi atgyfodi,
ac yn ei anfon ar y gehadaeth wallgo' hon.
A yw Paul yn credu fy mod i'n ddwl?
Hanner pan?
Gwn fod yr Iddewon yma yn hoffi mentro'i lwc weithiau,
ond y mae hwn yn ymddwyn fel pe tawn wedi fy ngeni ddoe.
Digon teg, hwyrach mai Iesu oedd eu Meseia –
nid wyf yn gymwys i ddadlau achos hwnnw –
ac mae'n bosib bod credu ynddo wedi newid bywyd Paul –
ei fusnes ef yw hynny –
ond y mae'r lol yma am weledigaethau nefol,
a'r cyfarfyddiad ar ffordd Damascus,
a'r alwad i bregethu i'r Cenhedloedd –
mae hynny'n mynd dros ben llestri.
Felly, beth yw ei fwriad?
Y mae'n ddieuog o'r cyhuddiadau yn ei erbyn – gall unrhyw un weld hynny –
wedi ei gamarwain efallai, ond yn bell o danseilio'r ymherodraeth.
Does dim angen iddo ddychmygu'r hanesion tila yma.
Y mae'n ddyn deallus hefyd – dyna sy'n peri mwy o ddryswch,
nid y penboethyn arferol, ac nid y troseddwr arferol.
Mae hwn wedi ei addysgu'n dda,
wedi darllen yn dda,
wedi teithio'n dda.
A dweud y gwir, mae'n rhaid i mi ei barchu –
mae rhywbeth amdano sy'n ei osod arwahan,
mae rhywbeth amdano sy'n eich denu ato.
Ond wedi dweud hynny, mae'r ffaith yn aros,
y mae'n drysu!
Wedi treulio gormod o amser mewn cell mae'n debyg,
neu dreulio gormod o oriau uwchben ei lyfrau.
Mae'n biti, gallai hwn fod wedi mynd yn bell,

a chyflawni gwaith mawr yn ystod ei oes.
Mae'n biti iddo ddechrau cymysgu
gyda'r Cristnogion bondigrybwyll!
Beth mae'n weld ynddyn nhw?
Pam ymglynu ei hun â nhw?
Pam aberthu iechyd,
arian,
hyd yn oed ei fywyd
er mwyn rhyw grefydd dibwys?
Ond nid yw'n difaru,
does dim angen gwneud dim ond edrych arno i weld hynny.
Does dim troi'n ôl i fod.
Y mae mor frwdfrydig ag y buodd erioed.
Mae'r holl fusnes y tu hwnt i mi,
ond rhaid cyfaddef, y mae rhywbeth ynglŷn ag ef,
rhywbeth ynghylch ei fynegiant wrth iddo sôn am Iesu,
sy'n peri i mi deimlo
y carwn fod wedi cyfarfod Iesu fy hun
a gweld drosof fy hun beth oedd achos yr holl ffwdan.

Gweddi

Arglwydd,
Nid wyt yn galw arnom i fod yn gryf yng ngolwg y byd ond i fod yn wan;
nid i fod yn ddoeth ond yn ffôl.
Llwybr aberth yw dy lwybr di –
llwybr sy'n groes i'r arferol,
llwybr sy'n troi'r byd wyneb i waered.
mae'n anodd teithio'r ffordd honno weithiau;
anodd peidio cyfaddawdu.
Helpa ni, Arglwydd,
i droedio'r llwybr cul sy'n arwain i fywyd.

89

NI LYNCAF FI'R FATH DDWLI

Agrippa

Darllen: Actau 25:23, 26:1, 12-19, 24-29

Trannoeth, felly, daeth Agripa a Bernice, yn fawr eu rhwysg, a mynd i mewn i'r llys ynghyd â chapteiniaid a gwŷr amlwg y ddinas; ac ar orchymyn Ffestus, daethpwyd â Paul gerbron. Meddai Agripa wrth Paul, "Y mae caniatâd iti siarad drosot dy hun." Yna fe estynnodd Paul ei law, a dechrau ei amddiffyniad . . . Pan oeddwn yn teithio i Ddamascus ar y perwyl hwn gydag awdurdod a chennad y prif offeiriaid, gwelais ar y ffordd ganol dydd, O frenin, oleuni mwy llachar na'r haul yn llewyrchu o'r nef o'm hamgylch i a'r rhai oedd yn teithio gyda mi. Syrthiodd pob un ohonom ar y ddaear, a chlywais lais yn dweud wrthyf yn iaith yr Iddewon, 'Saul, Saul, pam yr wyt yn fy erlid i? Y mae'n galed i ti wingo yn erbyn y symbylau.' Dywedais innau, 'Pwy wyt ti, Arglwydd?' A dywedodd yr Arglwydd, 'Iesu wyf fi, yr hwn yr wyt ti yn ei erlid. Ond cod a saf ar dy draed; oherwydd i hyn yr wyf wedi ymddangos i ti, sef i'th benodi di yn was i mi, ac yn dyst o'r hyn yr wyt wedi ei weld, ac a weli eto, ohonof fi. Gwaredaf di oddi wrth y bobl hyn ac oddi wrth y Cenhedloedd yr wyf yn dy anfon atynt, i agor eu llygaid, a'u troi o dywyllwch i oleuni, o awdurdod Satan at Dduw, er mwyn iddynt gael maddeuant pechodau a chyfran ymhlith y rhai a sancteiddiwyd trwy ffydd ynof fi.' O achos hyn, y Brenin Agripa, ni bûm anufudd i'r weledigaeth nefol." Ar ganol yr amddiffyniad hwn dyma Ffestus yn gweiddi, "Yr wyt yn wallgof, Paul; y mae dy fawr ddysg yn dy yrru di'n wallgof." Meddai Paul, "Na, nid wyf yn wallgof, ardderchocaf Ffestus; llefaru geiriau gwir a chyfrifol yr wyf. Oherwydd fe ŵyr y brenin am y pethau hyn, ac yr wyf yn llefaru yn hy wrtho. Ni allaf gredu fod dim un o'r pethau hyn yn anhysbys iddo, oherwydd nid mewn rhyw gongl y gwnaed hyn. A wyt ti, y Brenin Agripa, yn credu'r proffwydi? Mi wn i dy fod yn credu." Ac meddai Agripa wrth Paul, "Yr wyt am fy mherswadio, mewn byr amser, i ymddwyn fel Cristion." Atebodd Paul, "Byr neu hir, mi allwn i weddïo ar Dduw, nid am i ti yn unig, ond am i bawb sy'n fy ngwrando heddiw fod yr un fath ag yr wyf fi, ar wahân i'r rhwymau yma."

Myfyrdod

Ni lyncaf fi'r fath ddwli,
gallaf eich sicrhau chi o hynny.
Iawn, hwyrach mai Iddew ydwyf,
a hwyrach fy mod i'n credu'r proffwydi, yn fy ffordd fach fy hun,
ond mater i mi yw hynny a neb arall!
Nid wyf wedi cyrraedd i'r safle hwn drwy chwifio fy nghrefydd o'm cwmpas,
ac nid yw'n fwriad gennyf ddechrau nawr.
Mae'n ddigon anodd bod yn Iddew ar y gorau,
heb sôn am gymysgu gyda'r Cristnogion hyn.
Na, Paul gelli anghofio amdano;
agor dy fedd dy hun os mynni, ond gad fi'n llonydd!
A dweud y gwir, dydw i ddim yn gwybod pam ei fod yn barod i fentro'r cyfan,
er mwyn rhyw greadur a hoeliwyd i'r groes flynyddoedd yn ôl.
Nid yw'n gwneud synnwyr i mi.
Beth yw hyn ynglŷn â Iesu sy'n peri i bobl golli golwg ar bob rheswm?
Gwelais y peth yn digwydd droeon,
pobl gall a'u rhagolygon yn wych,
yn taflu'r cyfan i'r gwynt er mwyn y Meseia honedig.
Pam?
Mae'n rhaid fod rhywbeth arbennig amdano.
Clywais yr hanesion amdano –
gwella'r cleifion,
bwydo'r tyrfaoedd,
codi'r meirw.
Clywais am y prawf,
fel y safodd mewn distawrwydd,
a chadw'n ddistaw wrth iddynt ei chwipio, ei wawdio a'i ladd,
Clywais i Peilat geisio yn ofer ei ollwng yn rhydd.
Clywais am y bedd gwag,
a'i ddisgyblion yn honni ei fod yn fyw.
Clywais iddo esgyn i'r nefoedd.
Do, fe glywais y cyfan.

Ni chymerais fawr o sylw, wrth gwrs,
ond mae'n gofyn am berson arbennig i sibrydion felly amdano daenu ar led.
'Brenhiniaeth heb fod o'r byd hwn' dyna a ddywedodd.
Syniad gwych, ond braidd yn anymarferol.
Rhaid i chi dderbyn yr hyn a gewch yn yr hen fyd yma,
a gwneud o gorau ohoni.
Os na helpwch eich hunan, does neb arall yn mynd i wneud.
Ac onid yw Iesu yn profi'r pwynt?
Does gennyf ddim yn erbyn y dyn,
yr wyf yn ei edmygu, er na fyddwn yn cyhoeddi'r ffaith ar led.
Ond mae'n rhaid bod yn synhwyrol os am oroesi yn y byd yma.
Felly, rwy'n dweud eto nid wyf am lyncu'r dwli o gwbl.
Gwrandewch arno yn ceisio dweud wrthyf fi beth rwy'n gredu!
Dylwn ei roi dan glo am ei haerllugrwydd.
Ond does dim angen hynny,
dim ond un diwedd sydd i stori Paul, ac fe ŵyr hynny'n iawn.
Rhaid cydnabod ei ddewrder,
hyd yn oed os mai ffŵl ydyw.
Gwnaeth ei ddewis: caiff fynd yr un ffordd â Iesu os yw'n dymuno;
buasech yn credu ei fod yn ystyried hynny'n anrhydedd.
Fi,? dim diolch yn fawr – rwy'n edrych ar ôl fy hun.

Gweddi

O! Dduw trugarog,
maddau i ni am droi'n glust fyddar i'th lais.
Gwell gennym beidio clywed dy alwad a'th her.
Mae dy eiriau yn peri anesmwythyd i ni
ac yn taro i'r byw.
Atgoffa ni o Arglwydd na allwn ddistewi dy lais –
hyd nes i ni wrando ac ymateb.
Cymorth ni felly i wrando a gweithredu.

90

BETH PE GWELAI NI NAWR?

Paul

Darllen: 1Corinthiaid 1:10-18

Yr wyf yn deisyf arnoch, frodyr, yn enw ein Harglwydd Iesu Grist, ar i chwi oll fod yn gytûn; na foed ymraniadau yn eich plith, ond byddwch wedi eich cyfannu yn yr un meddwl a'r un farn. Oherwydd hysbyswyd fi amdanoch, fy mrodyr, gan rai o dŷ Chlöe, fod cynhennau yn eich plith. Yr hyn a olygaf yw fod pob un ohonoch yn dweud, "Yr wyf fi'n perthyn i blaid Paul", neu, "Minnau, i blaid Apolos", neu, "Minnau, i blaid Ceffas", neu "Minnau i blaid Crist". A aeth Crist yn gyfran plaid? Ai Paul a groeshoeliwyd drosoch chwi? Neu, a fedyddiwyd chwi yn enw Paul? Yr wyf yn diolch i Dduw na fedyddiais i neb ohonoch ond Crispus a Gaius; peidied neb â dweud i chwi gael eich bedyddio i'm henw i. O do, mi fedyddiais i deulu Steffanas hefyd. Heblaw hynny, ni wn a fedyddiais i neb arall. Nid i fedyddio yr anfonodd Crist fi, ond i bregethu'r Efengyl, a hynny nid â doethineb geiriau, rhag i groes Crist golli ei grym.

Myfyrdod

Beth pe gwelai ni nawr?
Fe dorrai ei galon, rwy'n sicr o hynny,
fe ddioddefai fwy o boen na phoenau'r hoelion yn ei ddwylo,
a'r waywffon yn ei ystlys..
Sut allent wneud hyn iddo?
Wedi'r oll a ddywedodd,
a wnaeth,
ac a ddysgodd!
Ni fedraf gredu fod hyn yn digwydd,
y gallem fod mor ffôl.
Ond fe allwn,
ac y mae'n digwydd.

Gwelais y peth yma yng Nghorinth;
clywais â'm clustiau fy hun.
A'r hyn sy'n dolurio yn fwy na dim yw fy mod i yn y canol;
Fe'n rhannwyd,
yn garfanau bach piwis,
ac fe ddigwyddodd yn ddiarwybod i ni.
'Rwyf fi o blaid Apolos' medd un
'Rwyf fi o blaid Pedr,'
'Rwyf fi o blaid Paul.'
Ac fe wn mai megis dechrau yw hyn,
fe fydd mwy –
arweinwyr eraill,
athrawon eraill,
pob un â'i garfan fach ei hun.
Beth wnaethom ni?
I ba le yr awn ni o'r fan hon?
Fe garwn i gredu y gellid datrys y broblem,
claddu'r gwahaniaethau a chanolbwyntio ar yr hyn sy'n wirioneddol gyfrif.
Wedi'r cyfan onid dilynwyr Iesu Grist ydym i gyd?
Crist yr hwn a fu farw ac a gyfodwyd!
Ffolineb i rai hwyrach,
tramgwydd i eraill,
ond i ni gallu a doethineb Duw!
Gwn nad ydyw mor syml â hynny,
Beth yw ystyr hynny?
i mi?
i chi?
i eraill?
Yn y fan honno mae'r drafferth yn cychwyn,
y rhwygiadau'n ymddangos,
oherwydd yr ydym i gyd yn wahanol,
pob un ohonom –
pawb â'i brofiad ei hun,
ei ffordd ei hun o edrych ar bethau.
Deuthum i weld hynny'n fuan iawn,
cefais fy syfrdanu fod y rhai a gyfrifais yn frodyr a chwiorydd yn gwrthwynebu fy ngwaith,

ac yn wir, yn condemnio fy mhregethu i'r Cenhedloedd.
Na, does dim atebion slic a hawdd,
dim atebion dewinol,
ond eto mae'n rhaid i ni ddatrys y peth rhywsut;
ni allwn eistedd yn ôl a bodloni ar y sefyllfa,
oherwydd rwy'n sicr, fe fyddai'n torri ei galon pe bai yn ein gweld ni nawr.
Pe bai!!
Beth yw'r Pe bai yma?
Y mae yn gweld!
Ac yn ein gweld ninnau!
A thra bo hyn yn parhau fe'i croeshoeliwn ef –
ein hymraniadau,
ein hymbleidio,
yn ei hoelio'n ddirdynnol i'w groes.

Gweddi

Arglwydd,
nid wyt yn ein galw i fod yn debyg, ond yr wyt yn ein galw i fod yn un.
Creaist ni yn wahanol fel bo gennym, o gydweithio, rywbeth i'w gyfrannu a rhywbeth i'w dderbyn
Maddau i ni am ganiatáu i wahaniaethau droi'n rhaniadau.
Maddau i ni, am ganolbwyntio ar yr hyn sy'n gwahanu yn hytrach nag ar yr hyn sy'n uno.
Arglwydd,
gelwaist ni i fod yn un corff.
Maddau i ni am barhau i'w dorri.

91

DYSGODD I MI YSTYR CARIAD

Paul

Darllen: 1Corinthiaid 13:1-13

Ac yr wyf am ddangos i chwi ffordd ragorach fyth. Os llefaraf â thafodau dynion ac angylion, a heb fod gennyf gariad, efydd swnllyd ydwyf, neu symbal aflafar. Ac os oes gennyf ddawn proffwydo, ac os wyf yn gwybod y dirgelion i gyd, a phob gwybodaeth, ac os oes gennyf gymaint o ffydd nes gallu symud mynyddoedd, a heb fod gennyf gariad, nid wyf ddim. Ac os rhof fy holl feddiannau i borthi eraill, ac os rhof fy nghorff yn aberth, a hynny er mwyn ymffrostio, a heb fod gennyf gariad, ni wna hyn ddim lles imi. y mae cariad yn hirymarhous; y mae cariad yn gymwynasgar; nid yw cariad yn cenfigennu, nid yw'n ymffrostio, nid yw'n ymchwyddo. Nid yw'n gwneud dim sy'n anweddus, nid yw'n ceisio ei ddibenion ei hun, nid yw'n gwylltio, nid yw'n cadw cyfrif o gam; nid yw'n cael llawenydd mewn anghyfiawnder, ond y mae'n cydlawenhau â'r gwirionedd. Y mae'n goddef i'r eithaf, yn credu i'r eithaf, yn gobeithio i'r eithaf, ac yn dal ati i'r eithaf. Nid yw cariad yn darfod byth. Ond proffwydoliaethau, fe'u diddymir hwy; a thafodau, bydd taw arnynt hwy; a gwybodaeth, fe'i diddymir hithau. Oherwydd amherffaith yw ein gwybod, ac amherffaith ein proffwydo. Ond pan ddaw'r hyn sydd berffaith, fe ddiddymir yr hyn sydd amherffaith. Pan oeddwn yn blentyn, fel plentyn yr oeddwn yn llefaru, fel plentyn yr oeddwn yn meddwl, fel plentyn yr oeddwn yn rhesymu. Ond wedi dod yn ddyn, yr wyf wedi rhoi heibio bethau'r plentyn. Yn awr, gweld mewn drych yr ydym, a hynny'n aneglur; ond yna cawn weld wyneb yn wyneb. Yn awr, amherffaith yw fy ngwybod; ond yna, caf adnabod fel y cefais innau fy adnabod. Mewn gair, y mae ffydd, gobaith, cariad, y tri hyn, yn aros. A'r mwyaf o'r rhain yw cariad.

Myfyrdod

Dysgodd i mi ystyr cariad,
beth yw gwir ystyr dweud, 'Rwy'n dy garu di'.

Yn raddol,
yn dyner,
fe'm dysgodd.
Nid drwy eiriau,
ond drwy ddangos i mi gariad ar waith.
Credais fy mod yn deall,
fy mod yn caru llawn cymaint â neb, os nad mwy.
Nid , efallai, fel y mae gŵr yn caru ei wraig, neu dad ei blant –
ni bu gennyf amser i hynny, gwaetha'r modd –
ond yn ddyfnach,
tu hwnt i gysylltiadau naturiol –
fy nghyd apostolion,
fy nheulu yng Nghrist,
fy nghyd-ddyn.
Ac fe wnes i garu yn fy ffordd fy hun –
fy unig nod oedd
eu cynorthwyo,
eu gwasanaethu,
eu cyrraedd.
Ac er hynny i gyd, ofnais tybed a fu i mi garu o gwbl?.
Oherwydd yn nyfnder fy nghalon, gwyddwn mai fi oedd y canolbwynt –
fy mhregethu, fy ymdrech, fy uchelgais –
fy llwyddiannau, fy ngharu –
a'r cwbl er fy modloni fy hun
ac ofnaf, hyd yn oed, fy ngogoniant i lawn cymaint â'i ogoniant ef.
Dyma'r natur ddynol mae'n debyg, neu felly y dywedwn,
ond a ydyw hynny'n wir?
Neu a oes raid iddo fod yn wir?
Oherwydd pan edrychaf ar Iesu,
ar bopeth a wnaeth drosof,
gwelaf wirionedd gwahanol.
Cariad gwahanol;
amyneddgar, caredig a gostyngedig;
nid yn ceisio ei ddibenion ei hun,
ond yn rhoi eraill yn gyntaf.
Cariad sy'n fy adnabod fel yr wyf,
yn deall fy meiau,
eto'n credu ynof fi.

Cariad, er i mi droi cefn arno, sy'n fy nerbyn,
a hyd yn oed yn marw drosof fi!
Dyna yw ystyr y peth hwn a elwir cariad,
gweld y gwaethaf ac yn credu'r gorau,
yn gofyn dim ac yn rhoi'r cyfan.
Credais fy mod yn deall, flynyddoedd maith yn ôl,
ond gwelaf nawr nad oeddwn yn deall fawr ddim.
Rwy'n dal i ddysgu,
yn dal i geisio gollwng gafael ar yr hunan.
Ni allaf wneud hynny fy hun
rwy'n sylweddoli hynny o'r diwedd;
Y mae angen ei gymorth ef arnaf,
ac fe ddaliaf ati i weddïo am y cymorth hwnnw,
oherwydd rwy'n deall 'nawr –
heb gariad, mae popeth arall yn ddim.

Gweddi

Arglwydd Iesu,
Crynhoist y Gyfraith mewn un gair –'cariad'
maddau i ni am gymhlethu'r Efengyl.
Maddau i ni, er i ni siarad mor aml am gariad,
yn anaml iawn y byddwn yn ei weithredu.
Cynorthwya ni i edrych arnat ti,
ti yr hwn a ddangosodd i ni gariad ar waith.
Cariad sy'n goddef i'r eithaf, yn credu i'r eithaf,
yn gobeithio i'r eithaf,
ac yn dal ati i'r eithaf.
Helpa ni i sylweddoli – heb y cariad hwnnw
y mae'n geiriau, ein ffydd a'n crefydd yn ofer.

92

DYWEDODD Y DEUAI ETO

Mathew

Darllen: Mathew 25: 31-33

"Pan ddaw Mab y Dyn yn ei ogoniant, a'r holl angylion gydag ef, yna bydd yn eistedd ar orsedd ei ogoniant. Fe gesglir yr holl genhedloedd ger ei fron, a bydd ef yn eu didoli oddi wrth ei gilydd, fel y mae bugail yn didoli'r defaid oddi wrth y geifr, ac fe esyd y defaid ar ei law dde a'r geifr ar y chwith.

Myfyrdod

Dywedodd y deuai eto.
Ni chawsom drafferth i'w gredu,
yn llwyr,
heb unrhyw amheuaeth.
Dyna ' addewid a'n galluogodd i ddal ati,
dyna a roddodd i ni nerth i frwydro drwy'r cyfan.
Er, fe fyddaf weithiau,
dim ond weithiau,
yn meddwl a ddylem edrych ymlaen;
a fydd hi mor hyfryd a chysurus ag y dychmygwn.
Ni allaf ond cofio ei eiriau
am y defaid a'r geifr,
ynglŷn a'r farn olaf –
mae'n syml,
mae'n glir,
ac eto mor iasol ei oblygiadau:
' Bûm yn newynog a rhoesoch fwyd imi,
Sychedig, a rhoesoch ddiod imi,
Yn ddieithr a chymerasoch fi i'ch cartref;
Yn noeth, yng ngharchar, a daethoch ataf.'
Dyna a ddywedodd,
drwy wasanaethu'r rhain,

hyd yn oed y lleiaf ohonynt,
yr ydych yn fy ngwasanaethu i.
Onid yw hynny'n swnio'n dda?
Dyna'r math o neges yr hoffwn ei glywed.
Ond dyma eiriau sy'n fy anesmwytho i,
oherwydd ni allaf ond gofyn, 'Pa un ohonynt wyf fi?'
Gwn pa un y carwn fod!
Gwn pa un y dylwn fod.
Ond rwy'n ofni fy mod yn fwy o afr nac o ddafad.
Gwelais gyflwr y newynog,
a phoenais fwy am fy mol fy hun.
Clywais gri'r sychedig,
ond diwallais fy anghenion fy hun.
Gwelais unigrwydd y dieithryn,
ond nid oedd gennyf fawr o ffydd ynddo.
Dywedwyd wrthyf am y noeth,
ac euthum i brynu dillad i mi fy hun.
Cefais gip olwg ar y claf,
ond ofnais, rhag cael fy heintio.
Gwyddwn fod cyfyngiadau ar ryddid rhywrai,
ond ofnais glymu fy hun.
Nid nawr, meddwn wrthynt;
y tro nesaf –
Bydd Duw yn deall.
Ond tybed?
Rwy'n siaradwr da,
pregethwr da,
gweddïwr da,
ac yn ffyddlonach na neb.
Ond wrth ddwyn i gof eiriau Iesu,
a'u mesur gyferbyn â'm bywyd i,
rwy'n hanner gobeithio na ddaw yn ôl,
er i mi ei alw'n Arglwydd.
Hwyrach mai ataf fi y bydd y bys yn cyfeirio,
ac mai fi fydd yn pledio anwybodaeth.

Gweddi

Arglwydd,
mae'n anodd weithiau gweld pethau o flaen ein llygaid.
Gwared ni rhag ymgolli yn yr hyn a fydd
fel y collwn olwg ar yr hyn sydd.

93

AI FI OEDD HWNNW?

Marc

Darllen: Marc 14:50-52

A gadawodd y disgyblion ef bob un, a ffoi. Ac yr oedd rhyw ddyn ifanc yn ei ganlyn ef, yn gwisgo darn o liain dros ei gorff noeth. Cydiasant ynddo ef, ond dihangodd, gan adael y lliain a ffoi'n noeth.

Myfyrdod

Ai fo oedd hwnnw, yr holl flynyddoedd hynny yn ôl,
yn rhedeg yn noeth yn yr ardd?
Clywais yr hanes lawer gwaith;
y Swper Olaf,
yn torri bara ac yfed gwin,
yn syrthio i gysgu yn yr ardd,
brad Jwdas,
do, clywais y cyfan, a cholli deigryn gyda'r gorau ohonynt.
Ond y bachgen ifanc yna sy'n fy swyno i –
yr un y bu bron iddynt ei ddal,
yr un y bu bron iddynt ei lusgo gyda Iesu at Caiaffas –
oherwydd mai fi oedd hwnnw.
Bûm yno gydol yr hwyr, yn gobeithio cael cipolwg ar y Meistr,
yn cuddio'n dawel yn y llwyni,
a phan ymddangosodd , llamodd fy nghalon.
Yr oedd yno ei hunan,
ychydig gamau i ffwrdd,
a gweddill y disgyblion yn disgwyl o hirbell,
yr oedd mor agos gallwn fod wedi ei gyffwrdd,
mor agos y gallwn glywed bob gair.
Ond trodd y llawenydd yn arswyd pan gyrhaeddodd y milwyr,
cysgodion tywyll yng ngoleuni'i ffaglau,
fel demoniaid newydd ymddangos o uffern ei hun.
Parlyswyd fi gan ofn,

a sylweddoli fy mod innau mewn perygl mawr.
Aeth y cyfan yn drech na mi,
a dyma geisio ffoi.
Clywais y gweiddi a theimlais afael eu dwylo ar fy nillad,
ond daliais i redeg ac yn benderfynol o ddianc.
Rhywsut fe lwyddais, gan redeg yn noeth a dagreuol i freichiau fy mam.
Bu'n amser hir ers hynny,
blynyddoedd maith,
ond wyddoch chi beth?
Does neb yn gwybod mai fi oedd y bachgen hwnnw;
bu'n gyfrinach gennyf ers amser.
Dylwn fod wedi dweud wrthynt, dod â'r peth i'r golwg fel Pedr,
ond chafodd ef ddim dewis naddo?
Dyna'r gwahaniaeth, - gwyddent amdano ef
ni allai ef guddio.
Ni wyddai neb am fy methiant i ond y fi,
ac felly yr oeddwn yn dymuno cadw pethau.
Daeth yn anos dweud, ac anos ei wynebu,
ac yn haws cau'r cyfan i ffwrdd.
Ond ni fu'n hawdd, mewn gwirionedd,
oherwydd y mae yno o hyd,
fy nghywilydd personol, fy mhoen personol.
Maent yn barod i ymddiried ynof nawr, dyna'r drafferth,
fy mharchu, a cheisio fy arweiniad,
ond ni allaf ond gofyn, 'Beth pe byddent yn gwybod? Beth wedyn?'
Er hynny, mae Iesu'n gwybod, ac y mae wedi fy nerbyn ar hyd y blynyddoedd.
Ond thâl hi ddim, mae'n rhaid i mi ddweud wrthynt,
oherwydd nes i mi fod yn onest ag eraill ni fyddaf yn onest ag ef na fi fy hunan.

Gweddi

Arglwydd,
y mae rhyw bethau yn y gorffennol y carem eu hanghofio,
ond sy'n dychwelyd i'n plagio –
gweithredoedd ffôl, geiriau byrbwyll,
camgymeriadau a gyffeswyd i ti

ond y ceisiwyd eu cadw rhag eraill.
Arglwydd yn dy gariad,
cynorthwya ni i wynebu ein hunain, ac o ganlyniad wynebu eraill.

94

NID OEDDWN YN EI ADNABOD FY HUN

Luc

Darllen: Luc 1:1-4

Yn gymaint â bod llawer wedi ymgymryd ag ysgrifennu hanes y pethau a gyflawnwyd yn eu plith, fel y traddodwyd hwy inni gan y rhai a fu o'r dechreuad yn llygad-dystion ac yn weision y gair, penderfynais innau, gan fy mod wedi ymchwilio yn fanwl i bopeth o'r dechreuad, eu hysgrifennu i ti yn eu trefn, ardderchocaf Theoffilus, er mwyn iti gael sicrwydd am y wybodaeth a dderbyniaist.

Myfyrdod

Nid oeddwn yn ei adnabod fy hun,
nid yn y ffordd y gwnaeth eraill.
Ond fe daerwn i mi ei adnabod wedi clywed Pedr yn sôn amdano.
Mae'n amlwg iddo fod yn dipyn o ddyn;
Allwch chi ddim creu argraff felly, heb fod yn berson arbennig.
Fe fyddai Pedr a finnau yn arfer eistedd hyd y bore bach yn siarad,
ac wrth iddo siarad fe fyddai wyneb Pedr yn goleuo i gyd.
Roedd ganddo gymaint o atgofion –
yr alwad gyntaf honno,
gwella'r cleifion,
bwydo'r tyrfaoedd,
gostegu'r storm.
Ac yna wrth gwrs, y wledd olaf,
yr olygfa yn yr ardd,
ing y groes,
a'r bedd gwag.
Cymaint i'w rannu, da a drwg.
Yr oeddwn wedi fy nghyfareddu.
Nid yn unig yr hyn a ddywedodd
ond y ffordd y dywedodd.
Yr oedd y cyfan mor real iddo,

mor dyngedfennol,
yn gymaint o newyddion da ar y pryd ag yr ydoedd pan ddigwyddodd.
Nid ymataliodd ddim.
Doedd dim osgoi'r cwestiynau anodd,
dim honni i bopeth fod yn hawdd.
Dywedodd wrthyf sut y bu iddo gydnabod Iesu fel y Meseia,
ond hefyd fel y methodd ddeall ystyr hynny.
Dywedodd wrthyf am yr eiliadau hynny ar ben y mynydd,
ond hefyd am yr amser y canodd y ceiliog.
Dywedodd wrthyf sut y plygodd wrth draed Iesu,
ond fel y gwrthododd i Iesu blygu wrth ei draed ef.
Gwyddai nad oedd yn berffaith,
fod ganddo lawer iawn i'w ddysgu,
ond newidiodd er hynny;
a thrwy Iesu daeth yn ddyn newydd.
Buaswn wedi hoffi adnabod Iesu fel y gwnaeth ef,
ei glywed, ei weld, a'i gyfarfod drosof fy hun.
Ond fel y dywedais, wnes i ddim.
Ac eto rwyf yn ei adnabod,
fel fy ffrind gorau
ac nid yn unig drwy yr hyn a ddywedodd Pedr.
Yr oedd hynny'n bwysig wrth gwrs;
dyna'r man cychwyn –
y man y crëwyd y diddordeb,
y man y taniwyd y dychymyg –
ond rwyf wedi symud ymlaen ers hynny,
er na allaf ei egluro.
Gwn ei fod yn swnio'n rhyfedd
ond yr wyf yn ei deimlo gyda mi o ddydd i ddydd.
Gwn iddo fod wrth fy ochr erioed,
clywaf ei lais,
gwelaf ei law,
teimlaf ei bresenoldeb,
a theimlaf fy mod yn ei adnabod llawn cymaint â neb.

Gweddi

Arglwydd,

Doedd neb ohonom yn y stabl fel y bugeiliaid;
doedd neb ohonom ymhlith y deuddeg a ddewisaist;
ni'th welsom yn iachau'r cleifion;
doedd neb ohonom yn bresennol yn yr oruwch-ystafell pan dorraist y bara;
neb ohonom – pan ddioddefaist y groes.
Ond yr ydym yn dy adnabod llawn cymaint â hwy,
am dy fod gyda ni nawr, bob amser, yma yn ein hymyl.
Diolchwn i ti, Arglwydd am dy bresenoldeb bywiol.

95

FE FU'N BYW YN EIN PLITH

Ioan

Darllen: Ioan 1:1-5, 9-14, 16-18

Yn y dechreuad yr oedd y Gair; yr oedd y Gair gyda Duw, a Duw oedd y Gair. Yr oedd ef yn y dechreuad gyda Duw. Daeth pob peth i fod trwyddo ef; hebddo ef ni ddaeth un dim i fod, ynddo ef bywyd ydoedd, a'r bywyd, goleuni dynion ydoedd. Y mae'r goleuni yn llewyrchu yn y tywyllwch, ac nid yw'r tywyllwch wedi ei drechu ef. Yr oedd y gwir oleuni, sy'n goleuo pob dyn, eisoes yn dod i'r byd. Yr oedd yn y byd, a daeth y byd i fod trwyddo, ac nid adnabu'r byd mohono. Daeth i'w gartref ei hun, ac ni dderbyniodd ei bobl ei hun mohono. Ond cynifer ag a'i derbyniodd, rhoes iddynt hwy, y rhai sy'n credu yn ei enw, hawl i ddod yn blant Duw, plant wedi eu geni nid o waed nac o ewyllys cnawd nac o ewyllys gŵr, ond o Dduw. O'i gyflawnder ef yr ydym ni oll wedi derbyn gras ar ôl gras. Oherwydd trwy Moses y rhoddwyd y Gyfraith, ond gras a gwirionedd, trwy Iesu Grist y daethant. Nid oes neb wedi gweld Duw erioed; yr unig Un, ac yntau'n Dduw, yr hwn sydd ym mynwes y Tad, hwnnw a'i gwnaeth yn hysbys.

Myfyrdod

Fe fu'n byw yn ein plith,
cig a gwaed fel chi a fi,
cerdded ein daear,
rhannu'n dynoliaeth,
yn rhan o'n byd briwedig.
Gwyddai am ein llawenydd
teimlodd ein tristwch,
rhannodd ein chwerthin, wylodd ein dagrau.
A wnaethoch chi ystyried hyn o'r blaen?
A wyddoch chi beth yw ystyr hyn?
Gair Duw,
creawdwr y cyfanfyd,

dechrau a diwedd popeth,
yma yn ein plith –
yn wan
yn llesg,
yn fregus –
Duw nid yn unig yn siarad am gariad
ond yn dangos cariad!
Nid oeddwn wedi sylweddoli, y mae'n rhaid i mi gyfaddef,
a hynny wedi'r holl flynyddoedd o'i ddilyn.
Dyn ydoedd – fel hynny y tybiais i –
a dilynais ef heb ddisgwyl mwy –
denwyd fi gan ei ddysgeidiaeth, do,
cyfareddwyd fi gan ei frwdfrydedd,
yr oedd ef yma gyda ni
ond yr oedd Duw
yn bell,
yn amhersonol.
Ceisio arweiniad gan Iesu roeddwn i, dyna'i gyd;
chwilio am ffordd i bontio'r gagendor,
dwyn Duw yn nes.
Ac fe wnaeth hefyd,
yn dod â ffydd yn fyw mewn ffordd y tybiais yn amhosibl.
Ond yr hyn sy'n fy rhyfeddu,
yw ei fod yn parhau i wneud hynny,
wedi'r holl amser,
cymaint ag erioed!
Rwy'n dysgu rhywbeth newydd bob dydd,
cymaint yn wir fel ei fod yn rhan ohonof erbyn hyn.
Bu'r daith yn hir,
ond un darn ar y tro,
daeth y darlun ynghyd,
cwympodd y geiniog,
gwawriodd y gwirionedd.
'Y neb a'm gwelodd i,' meddai, 'a welodd y Tad.
Y Tad a minnau un ydym.'
Rwy'n deall nawr,
o'r diwedd rwy'n gweld!
Rwy'n rhyfeddu,

a theimlaf ryw ias
o sylweddoli, i mi yn Iesu o Nasareth –
y baban a anwyd mewn preseb,
yr un a fu fyw yn ein plith,
yr un sy'n parhau i newid fy mywyd,
gyfarfod Duw ei hun,
y Gair a ddaeth yn gnawd!

Gweddi

Arglwydd,
gwyddom y byddi di bob amser y tu hwnt i'n deall ni.
Yr wyt ti tu hwnt i bob mynegiant.
Ond er dy gyfiawnder a'th sancteiddrwydd
moliannwn di nad wyt ti fyth allan o'n cyrraedd.
Drwy Iesu Grist ymwelaist â ni,
ac uniaethu dy hun â'r ddynoliaeth.
Drwyddo ef y profwn ni dy gariad a darganfod dy fywyd.
Arglwydd Dduw, fe'th addolwn di!

96

PEIDIWCH A GWELD BAI

Demas

Darllen: 2Timotheus 4: 9-10a

Gwna dy orau i ddod yn fuan, oherwydd rhoddodd Demas ei serch ar y byd hwn, a'm gadael.

Myfyrdod

Peidiwch â gweld bai.
Mi wn yn dda fy mod wedi methu.
Does dim angen i neb roi halen ar fy mriw
oherwydd rwy'n gwneud hynny fy hun bob dydd.
Demas yr un a adawodd,
dyna'r hyn a gofir amdanaf fi;
y dyn a fethodd redeg yr yrfa.,
a gafodd y gwaith yn rhy anodd.
Gallaf weld y peth nawr –
fe fyddaf yn destun pregeth i rywun,
yn rhybuddio yn erbyn gwrthgilio,
a throi'n ôl;
ac er nad oes yr un ohonynt yn gwybod beth ddigwyddodd yn iawn,
fe fyddant yn sicr o fentro arni
yn eu hymgais i achub eneidiau.
Llwfrdra,
amheuaeth,
uchelgais –
digon o ddewis,
a rhaid cyfaddef fod rhyw wirionedd ym mhob un ohonynt.
Yr oeddwn yn ofni'r gost,
yn arswydo wrth feddwl am y boen,
a pherygl marwolaeth.
Yr oedd gennyf fy amheuon,,
llawer ohonynt,

pob math o gwestiynau heb eu hateb.
Gwan?
Wrth gwrs fy mod i –
diofal yn fy nefosiwn,
eiddil fy hunan ddisgyblaeth,
hawdd fy arwain ar gyfeiliorn.
Uchelgeisiol?
Yn sicr.
Roeddwn yn awyddus i ddringo'r ysgol,
plesio'r bobl iawn,
yn ofni cael fy nghysylltu gyda Iesu rhag iddynt gael camargraff ohonof.
Ond yr oedd hyn yn wir am eraill yn ogystal,
ond y maent hwy yn parhau i ddilyn,
parhau i ymddiried,
felly pam nad fi?
Byddai'n braf cael gwybod.
Diflannodd y fflam,
y gwreichionyn a gynheuodd fflam fy ffydd.
Ac er y gallwn honni ei fod yno o hyd,
a rhoi'r argraff fy mod yn dal i gredu,
beth fyddai'r pwynt?
Gallwn dwyllo eraill,
ac ymhen hir a hwyr twyllo fy hunan,
ond Iesu?
Dim byth!
Gwn i mi fethu,
y mae ef yn gwybod i mi fethu,
ac ni allaf ond gweddïo y gwnaiff fy nerbyn nawr
fel y derbyniwyd fi y pryd hwnnw,
ar waethaf fy hunan.

Gweddi

Arglwydd ein Duw,
gweddïwn dros bawb sy'n cael ffydd yn anodd,
y rhai sy'n dymuno credu ond yn methu trechu eu hamheuon.
Gweddïwn dros bawb y mae eu ffydd yn gwegian,

yn cael eu tanseilio gan bwysau a themtasiynau bywyd.
Gweddïwn dros y rhai a gollodd eu ffydd,
y rhai y mae'r fflam wedi diffodd yn eu bywyd.
Gweddïwn drosom ein hunain,
a ninnau'n ymwybodol y gallai'r fflam ddiffodd yn hawdd yn ein bywyd ninnau.
Arglwydd ar ran ein hunain a phawb sy'n wynebu nos dywyll yr enaid fe weddïwn – 'Y mae gennyf ffydd, helpa di fy niffyg ffydd.'

97

FE'M GALWODD I DDILYN

Pedr

Darllen: Mathew 4:18-20

Wrth iddynt gerdded ar lan Môr Galilea gwelodd Iesu ddau frawd, Simon, a elwid Pedr, ac Andreas ei frawd, yn bwrw rhwyd i'r môr; pysgotwyr oeddent. A dywedodd wrthynt, "Dewch ar fy ôl i, ac fe'ch gwnaf yn bysgotwyr dynion." Gadawsant eu rhwydau ar unwaith a'i ganlyn ef.

Myfyrdod

Fe'm galwodd i ddilyn,
gollwng y rhwydau a'i ddilyn ef.
Doedd dim amser i feddwl,
dim amser i bwyso a mesur yr oblygiadau;
yr oedd yn rhaid penderfynu yn y fan a'r lle.
Felly y bu,
yn y fan –
gadael y cyfan i fod yn un o'i ddisgyblion.
A rwy'n falch.
Ydw'n wir, ar waethaf popeth rwy'n falch,
oherwydd gwn i mi wneud y penderfyniad cywir,
yr unig benderfyniad y gallwn fod wedi ei wneud.
Eto, pe bawn yn gwybod y pryd hwnnw yr hyn a wn yn awr
gallai pethau fod wedi bod yn wahanol.
Fe fyddwn wedi meddwl ddwywaith, mae hynny'n sicr, -
sicrhau fy mod wedi darllen y print mân –
a mwy na thebyg fe fyddwn wedi colli awydd.
Doedd gennyf ddim syniad a dweud y gwir beth oedd o'm blaen.
Dychmygais na fyddai'r cyfan yn para yn fwy nag ychydig ddyddiau,
ychydig wythnosau ar y gorau,
ac yna wedi gwneud fy rhan gallwn ddychwelyd adref,
yn ôl at gyfeillion a theulu,

at ddiogelwch fy rhwydau pysgota.
Ond ni fu'n hir cyn rhoi'i gardiau ar y bwrdd.
Gwnaeth yn gwbl glir i mi fod gwaith disgybl yn waith oes,
nid yn ddewis y gallai rhywun gefnu arno pan fyddai'n teimlo'r awydd.
Bu bron i rai ohonom roi'r gorau iddi yn y fan a'r lle,
cyn i bethau fynd yn flêr.
Ond pan ddaeth i'r pen ni allem wneud hynny,
oherwydd gwyddem ei fod yn gofyn llawer,
yr oedd yn cynnig mwy.
Roedd ganddo'r atebion i'n holl gwestiynau,
geiriau'r bywyd tragwyddol,
a byddai cefnu wedyn
yn golygu troi cefn ar wir ddedwyddwch.
Felly dyma benderfynu mynd yn ein blaenau,
ddydd ar ôl dydd,
wythnos ar ôl wythnos,
dilyn ôl ei draed,
yn rhannu'r gwaith.
Yr oedd yn dipyn o gamp, credwch chi fi,
ac fel pysgotwr gwn am beth yr wyf yn siarad.
Ond fe gawsom y nerth yr oeddem yn ei geisio bob amser,
yn union fel yr addawodd;
wel, dyna a dybiwyd tan yr wythnos olaf ddychrynllyd honno
pan aeth y cyfan ar chwâl.
Dyna'r wythnos
y bradychodd Jwdas ef,
yr arestiodd y milwyr ef,
y condemniodd Peilat ef;
yr wythnos y ffoesom i gyd am ein bywydau,
gan anghofio ein serch a'n teyrngarwch iddo.
Yr oedd yn ofnadwy,
yn waeth na'm hunllef waethaf –
ni phrofais ofn felly erioed,
na thristwch chwaith;
a gofynnais i mi fy hun yn fwy nag erioed
'Pam cymysgu gyda hwn yn y lle cyntaf?'
rwy'n dal i ofyn hynny weithiau, yn amlach nag a feddyliech,
oherwydd ni ddaeth yn haws ei ddilyn.

Bu'n rhaid aberthu, bu'n rhaid dioddef, bu'n rhaid wynebu gwrthodiad;
a gwn y bydd yn rhaid i mi dalu'r pris llawn rhyw ddiwrnod.
Felly, pe bawn yn gwybod y pryd hwnnw yr hyn a wn nawr,
mae'n bosibl y byddwn wedi dewis yn wahanol.
Y mae'n bosib – ond dydw i ddim yn gwybod – ond rwy'n falch i mi beidio,
oherwydd er i'r daith fod yn anodd a hawlio cymaint,
bu'n daith ryfeddol;
ac nid yn unig fy mod yn gwybod i mi benderfynu'n gywir,
dyma'r penderfyniad gorau y gallwn fod wedi ei wneud.

Gweddi

Arglwydd Iesu,
nid yw'n hawdd dy ddilyn di.
Yr wyt yn ein galw i ffordd newydd o feddwl, ffordd newydd o garu,
ffordd newydd o fyw sy'n fwy costus nag unrhyw beth a ddychmygwyd.
Ond er bod y gost yn uchel, y mae'r wobr yn uwch,
oherwydd ynot ti y cawn fywyd yn ei gyflawnder.
Arglwydd,
cynorthwya ni i ddilyn.

98

WNA I DDIM METHU'R TRO HWN

Pedr

Darllen: 2Pedr 1: 1-4, 12-15

Simeon Pedr, gwas ac apostol Iesu Grist, sy'n ysgrifennu at y rhai sydd, trwy gyfiawnder ein Duw a'n Gwaredwr Iesu Grist, wedi derbyn ffydd gyfuwch ei gwerth â'r eiddom ninnau. Gras a thangnefedd a amlhaer i chwi trwy adnabyddiaeth o Dduw ac Iesu ein Harglwydd! Y mae ei allu dwyfol wedi rhoi i ni bob peth sy'n angenrheidiol i fywyd a gwir grefydd trwy ein dwyn i adnabod yr hwn a'n galwodd â'i weithred ogoneddus a rhagorol ei hun. Trwy hyn y mae ef wedi rhoi i ni y breintiau gwerthfawr yr oedd wedi eu haddo, er mwyn i chwi trwyddynt hwy ddianc o afael llygredigaeth y trachwant sydd yn y byd, a dod yn gyfranogion o'r natur ddwyfol. Am hynny 'rwy'n bwriadu eich atgoffa yn wastad am y pethau hyn, er eich bod yn eu gwybod, ac wedi eich sefydlu'n gadarn yn y gwirionedd sydd gennych. Tra bydd y cnawd hwn yn babell imi, yr wyf yn ystyried ei bod yn iawn imi eich deffro trwy eich atgoffa amdanynt. Gwn y bydd yn rhaid i mi roi fy mhabell heibio yn fuan, fel y mae ein Harglwydd Iesu Grist, yn wir, wedi gwneud yn eglur imi. Gwnaf fy ngorau, felly, i ofalu y byddwch, ar ôl fy ymadawiad, yn dwyn y pethau hyn yn wastad i gof.

Myfyrdod

Wna i ddim methu'r tro hwn,
ar waetha'r dychryn,
ar waetha'r tristwch,
ar waetha'r boen,
wna i ddim methu.
Duw a ŵyr, nid fy nymuniad yw marw –
nid oes defnydd arwr ynof,
ond does dim angen i mi ddweud hynny wrthych chi.
Fe wyddoch yn ddigon da am y tro diwethaf.
Fe'i cofnodwyd,

fe'i trafodwyd,
fe'i pregethwyd –
Pedr, y gŵr oedd yn geg i gyd.
Yr apostol a safodd o hirbell o dan bwysau.
Parhaodd yr atgof hyd heddiw,
yn serio fy nghydwybod fel haearn poeth.
Nid na faddeuodd Iesu i mi.
Tair gwaith y cadarnhaodd ei alwad,
deirgwaith y cynigodd y cyfle i mi ddatgan fy nghariad,
un am bob tro y gwedais ef.
Felly, ni welodd fai arnaf am fy methiant,
nac edliw i mi o gwbl.
A bod yn deg, does neb arall wedi gwneud chwaith.
Mae pawb yn gwybod fy mod yn meddwl yn dda,
a sylweddoli y gallent hwy fod wedi gwneud yn union yr un peth;
Bu'n rhaid i mi fyw yn gwybod am fy addewidion gwag,
ac y mae'n rhaid i mi gyfaddef rwy'n cywilyddio.
Ni allaf ymddiried ynof fy hun rywsut,
ac oherwydd hynny rwy'n gofyn pam y dylai neb arall ymddiried ynof.
Ond dyma fi yn pydru mewn carchar,
a daeth yn amser i ddangos fy ochr,
yn arbennig pan ddaw'r dienyddiwr
i'm harwain i'm croes fy hun.
Fe geisiant fy nghael i wadu eto,
i dynnu fy ngeiriau yn ôl,
hyd yn oed caniatáu imi fyw
os trof fy nghefn unwaith eto ar Iesu.
Nid y tro hwn:
Wna i ddim methu y tro hwn.
Rhoddwyd i mi gyfle arall i fyw,
maddeuwyd i mi,
adferwyd fi,
derbyniwyd fi; ac ymaflais yn y cyfle
i fyw fy mywyd yn llawn.
Yn awr dyma gyfle arall i farw,
cyfle arall i roi fy mywyd er mwyn Iesu Grist fu farw drosof fi,
a'r tro hwn fe fyddaf ffyddlon hyd y diwedd,
oherwydd mi wn, y bydd ef i mi mewn angau yr hyn a fu mewn bywyd.

Gweddi

Arglwydd Iesu Grist,
gwyddost i ni, ar waetha'n ffydd, dy siomi di dro ar ôl tro.
Y mae'r ysbryd yn barod ond y corff yn wan.
Ond er i ni dy siomi di, yr wyt ti bob amser yn ein hadfer,
ac yn cynnig inni'r cyfle i ddechrau o'r newydd.
Arglwydd,
cynorthwya ni i ddysgu o'n camgymeriadau
ac i'th ddilyn di yn ffyddlon
doed a ddelo.

99

AM BA HYD ETO

Pedr

Darllen: 2 Pedr 3:1-4, 8-15a

Bellach, gyfeillion annwyl, dyma'r ail lythyr imi ei ysgrifennu atoch. Yn y ddau ohonynt, yr wyf yn ceisio deffro dealltwriaeth ddilychwin ynoch trwy eich atgoffa am y pethau hyn. Yr wyf am ichwi gofio y pethau a ragddywedwyd gan y proffwydi sanctaidd, a gorchymyn yr Arglwydd a'r Gwaredwr, y gorchymyn a roddwyd trwy eich apostolion. Deallwch hyn yn gyntaf, y daw yn y dyddiau diwethaf watwarwyr sy'n byw yn ôl eu chwantau eu hunain, ac yn holi'n goeglyd, "Beth a ddaeth o'r addewid am ei ddyfodiad ef? Oherwydd, byth er pan hunodd y tadau, y mae popeth wedi parhau yn union fel y bu o ddechreuad y greadigaeth." Gyfeillion annwyl, peidiwch ag anghofio'r un peth hwn, fod un diwrnod yng ngolwg yr Arglwydd fel mil o flynyddoedd, a mil o flynyddoedd fel un diwrnod. Nid yw'r Arglwydd yn oedi cyflawni ei addewid, fel y bydd rhai pobl yn deall oedi; bod yn ymarhous wrthych y mae, am nad yw'n ewyllysio i neb gael ei ddinistrio, ond i bawb ddod i edifeirwch. Fe ddaw Dydd yr Arglwydd fel lleidr, a'r dydd hwnnw bydd y nefoedd yn diflannu â thrwst, a'r elfennau yn ymddatod gan wres, a'r ddaear a phopeth sydd ynddi yn peidio â bod. Gan fod yr holl bethau yma ar gael eu datod fel hyn, ystyriwch pa mor sanctaidd a duwiol y dylai eich ymarweddiad fod, a chwithau'n disgwyl am Ddydd Duw ac yn prysuro ei ddyfodiad, y Dydd pan ddatodir y nefoedd gan dân ac y toddir yr elfennau gan wres. Ond disgwyl yr ydym ni, yn ôl ei addewid ef, am nefoedd newydd a daear newydd, lle bydd cyfiawnder yn cartrefu. Felly, gyfeillion annwyl, gwnewch eich gorau, wrth ddisgwyl am y pethau hyn, i fod yn ddi-nam a di-fai yng ngolwg Duw, ac i'ch cael mewn tangnefedd.

Myfyrdod

'Am ba hyd eto?' ydyw'r cwestiwn.
'Pryd y daw'r disgwyl am y deyrnas i ben?'

Sut ddylwn i wybod?
Pam dylwn i wybod mwy na'r gweddill ohonynt?
Dydyn nhw ddim yn deall.
Credent, am i mi fod gyda Iesu,
yn agos ato am flynyddoedd,
fod gen i wybodaeth arbennig,
neu linell argyfwng i'r nefoedd.
Pe bai hynny'n wir gallwn gau eu cegau a sicrhau ychydig o heddwch.
O leiaf gallwn ateb cwestiynau yn hytrach nag apelio am amynedd.
Amynedd!
Pam dylent fod yn amyneddgar?
Dydw i ddim!
Rwy'n teimlo'n rhwystredig,
yn dyheu am i rywbeth ddigwydd,
oherwydd credwch fi, nid gwaith hawdd yw bod yn Gristion heddiw.
Mae yna brepwyr ym mhobman yn ceisio arian rhwydd.
Mae yna Phariseaid yn poeri gwenwyn.
Mae'n pobl ein hunain, hyd yn oed , yn ceisio'n difetha.
A dyna i chi Gesar, Cesar gorffwyll, yn ymhyfrydu mewn creulondeb.
Gwelsom frodyr a chwiorydd yn cael eu poenydio,
chwipio,
yn cael eu pledu gan gerrig;
clywsom eu sgrechiadau am drugaredd, eu cri am gymorth;
ac y maent am wybod pa bryd y daw hyn i ben.
Mae geiriau Iesu'n dwysau'r sefyllfa –
y geiriau am beidio gweld marwolaeth hyd nes y daw.
Pe tasai heb ddweud hynny, a chodi ein gobeithion, fe fyddai pethau'n haws –
felly, beth oedd diben y fath addewid?
Dydy hynny ddim yn deg efallai,
fe'n siarsiodd i beidio dyfalu am y dyfodol,
am beidio poeni am amseroedd a dyddiadau.
'Gadewch y cyfan i Dduw' oedd ei gyngor ef.
'Rhaid i chi ymddiried yn Nuw a byw.
Mae gennych waith i'w gyflawni yma'
Nid wyf am honni fod hyn yn ateb i bopeth,
ond o feddwl amdano, y mae'n gymorth mawr.
Wedi'r cyfan fe ddaeth, drwy ei Ysbryd,

y mae ei deyrnas yma, pe agorem ein llygaid.
Ein gwaith yw byw yn hyderus er mwyn y deyrnas honno.
Rwy'n caru'r bywyd hwn mewn llawer ffordd a does dim brys arnaf i'w weld yn darfod.
Ydi hynny'n fai arnaf? Ni wn.
Yr hyn a ddywedaf, 'Yn dy amser dy hun, Arglwydd.
Yn dy amser dy hun.'

Gweddi

Arglwydd Dduw,
edrychwn ymlaen at ddyfodiad dy deyrnas
pryd y bydd diwedd ar ddioddefaint, tristwch, drygioni ac anghyfiawnder.
Ond ni allwn adael y cyfan i ti.
Yr wyt yn ein galw i weithio dros dy deyrnas, yma nawr,
i roi'r cyfan sydd gennym i'w hyrwyddo.
Cynorthwya ni ym mhob dim a wnawn ac a ddywedwn,
i amlygu dy gariad yn ein bywyd pob dydd.

100

FE'I GWELWN ETO RYW DDYDD

Ioan

Darllen: Datguddiad 21:1-4

Yna gwelais nef newydd a daear newydd; oherwydd yr oedd y nef gyntaf a'r ddaear gyntaf wedi mynd heibio, ac nid oedd môr mwyach. A gwelais y ddinas sanctaidd, Jerwsalem newydd, yn disgyn o'r nef oddi wrth Dduw, wedi ei pharatoi fel priodferch wedi ei thecáu i'w gŵr. Clywais lais uchel o'r orsedd yn dweud, "Wele, y mae preswylfa Duw gyda dynion; bydd ef yn preswylio gyda hwy, byddant hwy yn bobloedd iddo ef, a bydd Duw ei hun gyda hwy, yn Dduw iddynt. Fe sych bob deigryn o'u llygaid hwy, ac ni bydd marwolaeth mwyach, na galar na llefain na phoen. Y mae'r pethau cyntaf wedi mynd heibio."

Myfyrdod

Fe'i gwelwn eto ryw ddydd.
Peidiwch â gofyn pryd,
peidiwch â gofyn sut,
ond ryw ddydd
pan fydd yr ymdrech ar ben –
yr holl boen,
yr holl alar,
yr holl ofn,
yr holl amheuaeth.
Gwn fod hynny'n anodd i'w gredu.
Pan fyddwch yn gorfod brwydro yn erbyn y galluoedd mawr
a dim i'w weld yn digwydd,
pan safwch yn enw'r gwir, a
gweld y drwg yn cael y trechaf,
pan ddaw cariad wyneb yn wyneb â chasineb,
addfwynder yn erbyn trais,
y mae'n anodd credu.
Pan wynebir chi â dioddefaint,

salwch,
marwolaeth,
pan fo trachwant a llygredd yn cael eu gwobrwyo
a chyfiawnder yn cael ei sathru dan draed
y mae'n rhaid gofyn yn feunyddiol,
pam y caniateir hyn i ddigwydd?
Ond fe ddaw, rwy'n sicr o hynny –
nid oherwydd iddo addo,
er bod hynny'n bwysig, wrth gwrs;
nid oherwydd iddo ddychwelyd o'r blaen,
gan drechu angau a'r bedd,
er bod hynny'n dyngedfennol;
ond am fod yn rhaid iddo ddod i wneud synnwyr o'r cyfan,
os yw ffydd i fod yn rhywbeth mwy na rhith.
Ac y mae'n rhaid iddo fod yn fwy na hynny.
Y mae'r nod sydd gennym,
y bywyd a ddatguddiwyd yn Iesu Grist,
ei addewidion,
ei wirioneddau,
yn ffaith, mi wn,
oherwydd maent wedi gweddnewid fy mywyd i,
wedi fy nghynnal yn yr oriau tywyll,
wedi fy nghodi y tu hwnt i bob dychymyg,
a rhoi i mi lawenydd sydd heb derfynau.
Ac felly er i ni nawr weld ond heb ddeall,
a bod ffydd yn anodd a Christ yn ymddangos yn bell i ffwrdd,
fe ddaliwn i obeithio,
gan ddisgwyl y dydd y bydd diwedd ar ddagrau poen ac angau,
mewn teyrnas newydd a hardd.
Gwelir Iesu eto wedi ei goroni mewn gogoniant ac ysblander,
Brenin y Brenhinoedd,
Arglwydd yr Arglwyddi,
oll yn oll,
ac eto yn un ohonom ni!

Darllen: Datguddiad 22:1-5, 20

Dangosodd yr angel imi afon dŵr y bywyd, yn ddisglair fel grisial, yn llifo allan o orsedd Duw a'r Oen, ar hyd canol heol y ddinas. Ar ddwy lan yr afon yr oedd pren y bywyd, yn dwyn deuddeg cnwd, gan roi pob cnwd yn ei fis; ac yr oedd dail y pren er iachâd y cenhedloedd. Ni bydd dim mwyach dan felltith. Yn y ddinas bydd gorsedd Duw a'r Oen, a'i weision yn ei addoli; cânt weld ei wyneb, a bydd ei enw ar eu talcennau. Ni bydd nos mwyach, ac ni bydd arnynt angen na golau lamp na golau haul, oherwydd bydd yr Arglwydd Dduw yn eu goleuo, a byddant hwy'n teyrnasu byth bythoedd. Y mae'r hwn sy'n tystiolaethu i'r pethau hyn yn dweud, "Yn wir, yr wyf yn dod yn fuan." Amen. Tyrd, Arglwydd Iesu!

Gweddi

Arglwydd ein Duw,
dysgaist ni drwy Iesu Grist i weddïo,
'Deled dy deyrnas, gwneler dy ewyllys.'
Gweddïwn am y dydd y gwireddir y weddi honno –
dydd heb nos mwyach, na dagrau mwyach,
dydd y bydd diwedd ar alaru ac wylo a phoen –
diwedd ar angau ei hun.
Cynnal ni, drwy holl ansicrwydd ein dyddiau diflanedig
yn y gobaith sicr
y byddi di rhyw ddydd yn oll yn oll.
Amen!

MYNEGAI